図書館にドン・キホーテがいた頃

一九八〇〜九〇年代の図書館少数者運動

東條 文規

ポット出版プラス

はじめに

二〇一九（令和二）年一一月、『ず・ぼんー図書館とメディアの本』の廃刊を決めた。第一号が一九九四（平成六）年、最終の一九号が二〇一四（平成二六）年。廃刊決定まで五年ほど掛かったが一つのけじめがついた。私としては最終二〇号で、第一次職場の退職者ばかりの編集委員座談会を開いてもよい、と思っていたがどうせ愚痴か自慢話か、いずれにしても年寄りの冷や水になりそうなので、やらなくてよかった。「夢と道楽」の成果?が全一九冊に詰まっているので今さらどうのこうのと言うのは野暮だ。

だが、本書で記したように『ず・ぼん』の創刊に至るまでに約一五年間の長い「闘争」とも呼べる運動があり、その運動の歴史は当事者とその周辺の仲間以外にはほぼ忘れられている。当時の資料も多くは手書きの会報や情宣ビラ、薄い小冊子で、そのうち雲散霧消するだろう。少なくとも図書館で飯を食ってきた以上、今のうちにその資料を使って当時の私たちの活動を少しでも書き残しておきたい。そんな思いから出来るだけ当時の資料を引用する形で本書を書いた。

第一章は、戦後初めて政治の世界が図書館界に積極的に接触し、資金援助を含む図書館事業基本法（仮称）という法律の制定まで目指した「事件」を中心に綴った。図書館界の一部に仕掛け人はいたのだが、何も知らなかった多くの初心《うぶ》な図書館人はびっくりし、右往左往。挙句、打ち上げ花火に終わった約三年間を記した。

第二章は、この政界の打ち上げ花火に図書館への国家の介入、支配を敏感に、しかし少し過剰に感じ取った図書館労働者の反対運動を記した。

第三章では同じ時期、文部省（当時）が大学図書館の合理化、近代化を図って大型コンピュータを軸に強引に推し進めた学術情報システムとその後の成果と問題点について記した。

第四章は、有無を言わせず急速に推進される学術情報システムに対して、大学図書館員の職能団体である大学図書館問題研究会（大図研）執行部の煮え切らない姿勢と、その姿勢に飽き足らない会員たちとの論争を記した。

第五章は、学術情報システムが導入されつつある大学図書館現場の荒廃と図書館労働者の疲弊を告発し、真正面から「学情ＮＯ！」を掲げた、大学図書館労働者たちの思想と運動を中心に記した。

第六章は、第一章で記した図書館事業基本法や第三章の学術情報システムが図書館の世界に公然と登場する状況を図書館の進歩・発展と歓迎されるなかで、むしろ逆に図書館への根源的な問いが必要ではないか、と、問いつづけた図書館労働者の運動について綴った。

第七章は、図書館の進歩・発展が歓迎されるなかで、理不尽に労働権を剥奪された二人の図書館労働者の当たり前の闘いとその支援活動を記した。

第八章は、第七章まで記した活動が運動として困難になってきたなかで、新しい雑誌を発行する、その経緯と舞台裏を記した。思えば本ばかり読んでいたドン・キホーテが旅に出たのは五〇歳に手が届く頃。私たちが『ず・ぼん』の発刊を思いついたのは、もう少し若いけれどいずれにしても、よく続いた。

最終章は「あとがき」のつもりだったが、少し長くなった。言わずもがなかも知れないが、私も含め当時の仲間たちはみんな還暦を優に超えている。鬼籍に入ったものも複数いる。ドン・キホーテ、がいれば当然サンチョ・パンサもいる。ひょっとしてロシナンテも。大阪弁でいう「アホ」なおっさんやおばはんが図書館にも何人もいたのだ、と本書を読んで、笑って、でも、ちょっと考えてくれたら嬉しく思う。

●目次

最終章

図書館にドン・キホーテがいた頃

一九八〇〜九〇年代の図書館少数者運動

第一章

図書館事業基本法問題

〈一〉早急に議員立法で

一九八〇（昭和五五）年一〇月二〇日〜一一月一日の三日間、鹿児島市で第六六回全国図書館大会が開かれた。初日、開会式での来賓挨拶に立った超党派の衆・参国会議員で結成されている図書議員連盟事務局長有馬元治は、議員立法による図書館振興法の制定を提唱した。その要旨は、大要以下のようなものである。

最近、わが国の図書館界も興隆の兆しが表れているが、その実態はまだまだで、先進国と肩を並べるところには立ち至っていない。どんなに贔屓目に見ても、文化国家とはいえない段階である。図書館はこれから世界的、国際的な提携をコンピュータを駆使して目指さなければならない。そのための図書館事業の振興法を制定することは、われわれ政治家の責任である。図書議員連盟が結成された所以もこのためにある（『昭和五五年度全国図書館大会記録　鹿児島』昭和五五年度全国図書館大会実行委員会、一九八一年）。

いっぱんの図書館関係者には唐突に聴こえた有馬の発言だったが、図書議員連盟は図書館大会直後の一一月五日の昭和五五年度総会で重点事業として、①公共図書館の図書購入費の倍増、②出版文化の国際交流の振興、③図書館振興法を議員立法として推進、④関西第二国立図書館設立の推進等を決める（『図書議員連盟会議要録（三）昭和五十五年十一月五日　図書議員連盟総会速記録』）。

この日、日本図書館協会の栗原均事務局長はこの総会に出席し、「我国の図書館の整備方策について（案）」以下の四つを「陳情」している。

第一に、我国の図書館振興を図る立場から「総合的に計画的にこれを推進する為には、図書館情報審議会（仮称）というようなものを設置して頂き、図書館振興を図るうえでの問題等についてご協議頂き、国として積極的に進めて頂きたい」。

第二に、「市町村段階における公立図書館の適正配置基準を作成し、その早期実現を図る」。「未だ二〇パーセント近い市、それから八七パーセント以上の町村が図書館を設置していない。ことに町村の問題は非常に重要で」「これらの設置」について「文部省当局のご配慮等をお願い」する。

第三に、図書館の資料は「全国民が受ける知的な資源であ」り、この資源をすべての人が「活用できる為のネットワークを全国的にめぐらす為にも、それぞれの都道府県立図書館が、我国の出版物を最低一冊ずつ備えておくということがぜひとも必要で」、「約一億円の図書購入費を各都道府県立にほしい」。「こういったものが実現できるような形で、ご指導と国のご支援というものが必要ではないか」。

第四に、「図書館の専門職員の制度的確立ということが望ましい」。「法律的に認められております司書が、必ずしも図書館において、まだ配置されていないという状況」、「この点についてのご指導を得たい」。

そして最後に、先の全国図書館大会の図書館政策を論ずる第九分科会で図書館振興法の議論が未だ不十分で最終日の全体会で決議として出せなかったが、「今後とも先生方のご指導を得ながら」、「我国の図書館体制が充実しますようお願い」するといって陳情をを締めくくる（以上前掲『図書議員連盟会議要録（三）』（注1）。

（注1）この総会には陳情者として栗原均の他に全国公共図書館協議会会長の小杉山清と全国学校図書館協議会事務局長の佐野友彦とがほぼ栗原と同趣旨の発言をしている。ついでに言えば図書館関係事業の各省庁の現状報告は、公共図書館が五十嵐耕一（文部省社会教育局社会教育課長）、大学図書館関係が田保

橋彬（文部省学術国際局情報図書館課長）、科学技術情報が清水眞金（科学技術庁振興局情報室長）、そして国立国会図書館が高橋徳太郎（国立国会図書館総務部長）である（本文前掲『図書議員連盟会議要録（三）』）。☆

翌一九八一（昭和五六）年三月六日、図書議員連盟は日本図書館協会、全国公共図書館協議会、全国学校図書館協議会等、図書館関係一〇団体の代表を招集。図書館振興法の制定について懇談会を開く。有馬元治事務局長は席上、図書館側委員に振興法の要綱を当面七月末を目標にまとめるよう求め、次のような考えを示す。

①国民がどこに住んでいても容易に図書が利用できる条件を作り上げることが先決で、全国に図書館を増やす必要がある。そして、これらの図書館のネットワーク化を進める必要がある。

②図書館を整備し、資料を充実し、人を増やすとすれば、莫大な資金がいる。国や地方公共団体の公費を増やすことも必要だが、広く民間資金を導入する機関として、財団の設立が必要になろう。

③出版社と図書館が協力し、連携して出版文化の向上を目指すことが重要で、こういうことを考えると国民も所得の一パーセントぐらいは負担するという考えも成り立つのではないか。

④わが国でも行政情報公開の問題が差し迫った行政課題となっている。政府、地方公共団体の持つ情報を国民に公開するなら、その機関は図書館をおいて他にない。

⑤振興法の意図するところは、公共図書館、大学図書館、専門図書館、学校図書館など全館種の振興とネットワーク化であり、そのための所管行政庁は総理府ということになろう。図書館委員会とい

った常設機関を設けて振興施策を推進することも考えられる。

以上のような考え方を基礎に、議員立法で図書館振興法の制定を図議連として進めたい。そこにどういう内容を盛り込むかは、図書館関係者に詰めていただきたい(「資料・『図基法』のすべて」『季刊としょかん批評』一)。

そして五月一三日には図書館事業振興法(仮称)検討委員会が発足。参加団体は以下の一一団体。公立大学協会図書館協議会(会長松浪有　東京都立大学附属図書館長)、私立大学図書館協会(理事校杉田嘉一郎　立命館大学附属図書館長、長尾善晶　立命館大学附属図書館事務長)、全国学校図書館協議会(会長金田一春彦、事務局長佐野友彦　同次長岩田斉)、国立大学図書館協議会(副会長林良平　京都大学附属図書館長、事務局長沙藤隆茂　東京大学附属図書館事務部長)、国公私立大学図書館協力委員会(委員長横越英一名古屋大学附属図書館長)、全国公共図書館協議会(会長小杉山清　都立中央図書館長、副会長堀池慶一　神奈川県立図書館長)、専門図書館協議会(ナショナル・プラン委員会委員長宮川隆泰　三菱総研、同委員末吉哲郎　経団連図書館)、日本盲人社会福祉施設協議会(理事西尾正二　カトリック点字図書館長)、公立短期大学図書館協議会(会長加藤直　神奈川県立衛生短大図書館長)、私立短期大学図書館協議会(会長森清　青葉学園短大図書館長、常任理事安部巳《とし》巳　別府大学短大部)、日本図書館協会(事務局長栗原均、政策委員長奥野定通、政策委員鈴木四郎　浦和市立図書館長)。座長は金田一春彦全国学校図書館協議会会長(栗原均「(仮称)図書館事業振興法の推進について〈報告〉」『図書館雑誌』第七五巻第五号、一九八一年五月号、「報告・その二」同第七五巻第六号、一九八一年六月号)。

翌五月一四日には図書議員連盟が昭和五六年総会を開き、会長の前尾繁三郎が一九八一（昭和五六）年度の事業計画の第一に「図書館事業振興に関する議員立法の推進」、第二に「関西地域に国会図書館の別館を誘致したいという地元からの要望に対して、いかに対応すべきか」を挙げる。そして第一の方は、昨一三日に検討委員会（上記）も開いたので、「昭和五十七年度予算に盛り込むべきものは盛り込み、法案そのものは来年の通常国会での成立を期するということの為に、この七月頃までには一応の検討を終わるよう早急に推進したい」と言い、「これが図書館界各種団体の要望でありますので、その方向で案外速やかに成果が現われてくるものと考えております」と、極めて楽観的な展望を述べている。一方、第二の方は「財政事情からなかなか困難とは思いますが、せめて調査費でもつけるという方向で推進したい」という（『図書議員連盟会議要録（四）昭和五十六年五月十四日　図書議員連盟総会速記録』）。

今から振り返れば第一が無残に破綻し、第二の方が実現したのであるが、少なくとも図書議員連盟は、図書館事業の振興に関しては前向きに考えていたことは確かなようだ。

〈二〉議論の経過

それより前、日本図書館協会（以下「日図協」と略記）の栗原事務局長は、一九八一（昭和五六）年三月二五日の日図協評議委員会の議論を踏まえ、図書議員連盟の構想について「振興法の基本理念と問題点」として大要以下のように記している。

図書館事業の全面的振興は、わが国の図書館関係、特に日本図書館協会員にとっては宿願であったし、将来の課題だ。しかし、〈法〉によって、国の統一的強制力で行政施策が強制されるなら、あらためてその基本理念が問い直される。問題点は、①各館種ごとに縦割りの形で分断されている図書館行財政を、総合的に計画・調整する機能を持つ機関を設置できるか。②各館種特有の問題点、具体的には（ア）職員の専門制度確立、（イ）法的保障としての図書館整備基準の制定、（ウ）資料充実のための補助等具体的推進措置、（エ）保存図書館の設置を含む、地方的全国的図書館サービスネットワーク組織の形成。さらに③技術と理論の研究開発を推進するための機関として〈図書館振興財団（仮称）〉の設置。

そして日図協としては、他の団体と共に、課題を煮詰め、その結果を『図書館雑誌』に報告することにより、全会員の総意と支持を受けながら対処したい旨を表明した（前掲「仮称・図書館事業振興法の推進について〈報告〉」）。

以後、栗原は第七六巻第二号（一九八二年二月号）まで、毎月（第七五巻第一一号を除く）この〈報告〉を連載する。但し、〈報告・その二〉以降は「図書館事業振興法（仮称）について」というように「推進」という二文字を外している。

さて、館種の異なる一一団体が国会議員の掛け声で招集されたのだが、団体のメンバーを見ると多くは持ち回りの役員であり、たまたまこの時期に役員が巡ってきて引き受けたというのが実情に近い。とすれば、議論のたたき台の作成からその方向付けは日図協が担わざるを得ない。じっさい、検討委員会は、日図協が協会内の「図書館政策委員会」の数回の議論を踏まえて作成した奥野定通の「メモ」をたたき台にして、ほぼ月一度の日程で開かれた。各委員が「理念」、「要項」、「予算」の各々の小委員会に分かれ、具体的な草案を作成する作業を開始し、日図協がその全般総合的連絡の責を担当する。

その過程を当時、栗原均は以下のように記している。

「わが国の図書館関係団体と関係者が、館種別等の独自の課題を抱えながらも、共通の場―図書館サービスの原点―に立ちながら繰り返し議論を重ねたことは、少なくとも戦後の三〇余年間、未だ嘗つてなかったのではないかと考える」（「図書館事業振興法（仮称）について―報告・その五―第一次案とりまとめについて」『図書館雑誌』第七五巻第九号、一九八一年九月号）。

〈三〉「図書館事業の振興方策について（第一次案報告）」

一九八一（昭和五六）年九月、「図書館事業基本法要綱（案）」は一応の結論を得てまとめられる。一一団体代表委員より成る「図書館事業振興法（仮称）検討委員会」が図書議員連盟に答申した新立法案は、正式には「図書館事業の振興方策について（第一次報告）」と題され、二つの部分に分かれている（以下『図書館雑誌』第七五巻第一〇号、一九八一年一〇月号）。

まず、「図書館事業振興方策の提案について（趣旨説明）」では、図書館法（一九五〇年＝昭和二五年）、学校図書館法（一九五三年＝昭和二八年）制定当時と較べ、現在の日本の国民各層の知的情報に対する要求は大幅に増大し多様化している。「その要望に対応する機関としての図書館は、今や国民の日常生活に必要欠くべからざるものになってきた」。

その具体的な社会的背景として、一、国民の生きがいとしての生涯学習意欲の高まり。二、自学能力を培うための学校図書館の充実。三、高齢化社会の進展と福祉水準の向上。四、あらゆる分野で学術・文化・教育の発展と科学技術の急速な進歩、それに応じた産業構造の高度化。五、日本の国際的地位の向上とその責任の増大。等々を挙げ、各図書館がこの変化に効率的に対応するために、「次の点のすみやかな改善や確立が望まれる」と七点を挙げる。

一、図書館政策の確立。二、公立図書館の必置。三、学校図書館の充実強化。四、障害者へのサービス。五、専門職員の充実と必置。六、ネットワークの確立。七、共同保管図書館の設置。

そしてこのような「新しい時代の基盤となる図書館をつくるためには、将来に向けての展望をふまえた政策の立案とともに、新たな立法・財政の措置がすみやかに講じられなければならない」とその趣旨を記している。

次に記される肝腎の「図書館事業基本法要綱（案）」はどのようなものか。第一章、総則から第二章、図書館政策、第三章、図書館の相互協力、第四章、専門職員、第五章、図書館振興財団まで全五章二四項目に分かれている。内容は、先の「趣旨説明」を反映したものにはなっているが、まだそれほど具体性はない。もちろん具体的な中身は施行規則等で別に定めることになるはずだが、この法の精神を具体化するには多くの難問が待ち受けていることは想像に難くない。

じっさい、この「要項（案）」が載った同じ号の『図書館雑誌』（第七五巻第一〇号）で栗原均は、「すべての館種の問題を、一つの法（案）に盛ることは不可能との理由から〈保留〉の意見を文書で寄せられた委員があ」ったと記している（「報告・その六」）。さらに、法（案）制定時点（昭和五七年度）で施行に要する経費が一〇億六一五〇万円を予定し、各館種の振興計画遂行のための今後一〇年間の全体の所要経費を二兆四三三八億五千万円。そのうち国庫負担額は約半分の一兆三一三億九千万円。極めて膨大な経費を試算している（「報告・その六」）。

さて、この「（第一次案・報告）」は、九月七日、文部省関係各課（情報図書館課、技術教育課、社会教育課、小学校教育課）に、九月一一日には図書議員連盟有馬元治事務局長に提出し説明、九月中に関係省庁（科学技術庁振興局情報室、通産省―大臣官房情報管理課、政策情報システム室、機械情報産業局情報処理振興課、厚生省社会局更生課、国立国会図書館、日本科学技術情報センター等）の各担当者に、各関係検討委員会委員から、届けられ、併せて趣旨・経過の説明と理解・協力をお願いした（前掲「報告・その六」、

「報告・その七」『図書館雑誌』第七五巻第一二号)。

この案文に対する各行政機関担当者の共通する意見に、「全館種を画一的にとらえようとしているのではないかとの疑問があった」が、それ以上に検討委員会内部、さらに外部の図書館関係諸団体からも疑問、異議、批判が続出するようになる。これらの異議申し立てについては次に見ていくが、もう少し栗原報告に基づいて先に進みたい。

〈四〉昭和五六(一九八一)年度(第六七回)全国図書館大会埼玉

「(第一次案・報告)」が公表されて約二ヶ月後の一〇月二九日~三一日の三日間、埼玉県浦和市で第六七回全国図書館大会が開催された。そもそもの呼びかけ団体である図書議員連盟の細田吉蔵会長が出席し、来賓祝辞で立法推進をアピールする。

経済大国の日本が図書館に関しては未だ後進国だ、行革等で財政的にはむずかしい時期ではあるが、「国の大きな予算から見れば、図書館を振興するための予算は、実は問題にならない」。「一二月から始まります通常国会で、是が非でも図書館振興特別立法を実現したい。その中身については、今後急速にワーキングパーティを作りまして、検討していきたい」(『昭和五六年度全国図書館大会記録 埼玉』昭和五六年度全国図書館大会実行委員会、一九八二年)。

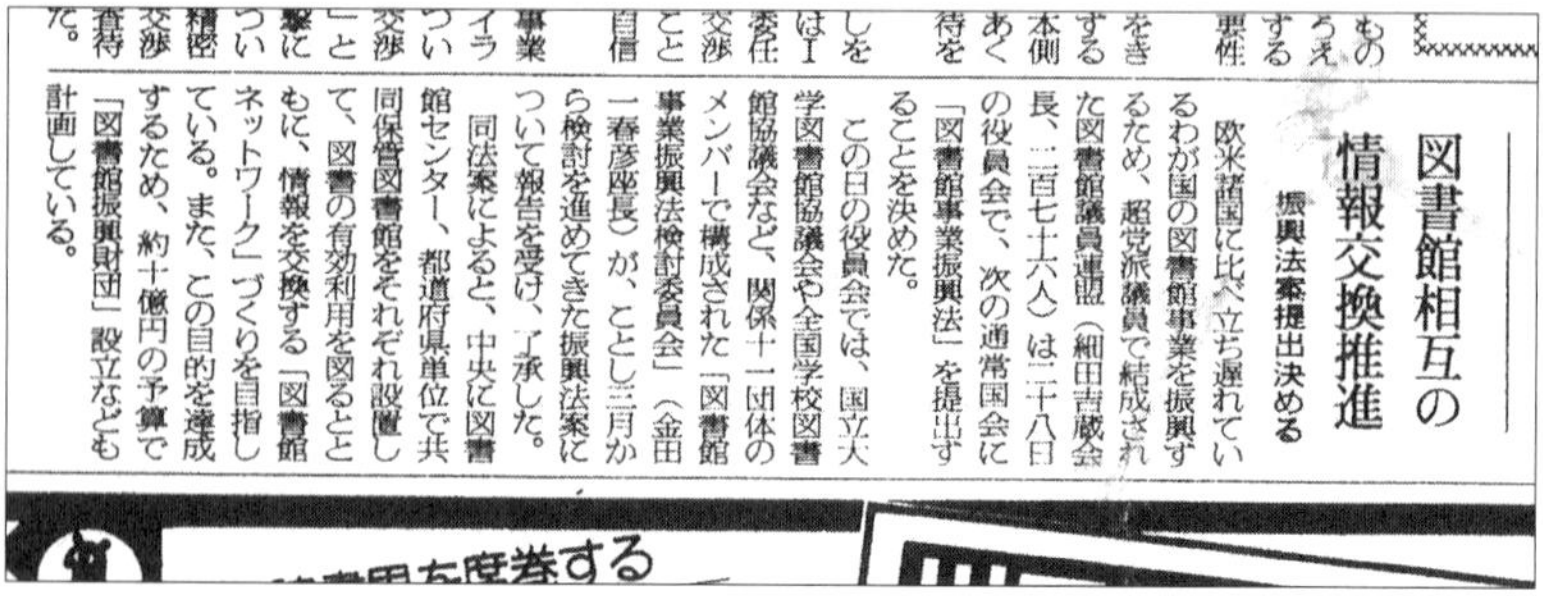

図書館相互の情報交換推進

振興法案提出決める

欧米諸国に比べ立ち遅れているわが国の図書館事業を振興するため、超党派議員で結成された図書館議員連盟（細田吉蔵会長、二百七十六人）は二十八日の役員会で、次の通常国会に「図書館事業振興法」を提出することを決めた。

この日の役員会では、国立大学図書館協議会や全国学校図書館協議会など、関係十一団体のメンバーで構成された「図書館事業振興法検討委員会」（金田一春彦座長）が、ことし三月から検討を進めてきた振興法案について報告を受け、了承した。

同法案によると、中央に図書館センター、都道府県単位で共同保管図書館をそれぞれ設置して、図書の有効利用を図るとともに、情報を交換する「図書館ネットワーク」づくりを目指している。また、この目的を達成するため、約十億円の予算で「図書館振興財団」設立なども計画している。

図 1-1　朝日新聞朝刊 1981/10/29

国会開会中にもかかわらず細田会長自らが出席したことは、この立法にかける図書議員連盟の並々ならぬ意気込みが感じられるが、細田は前日（一〇月二八日）に開かれた図書議員連盟の役員会で故前尾繁三郎会長の後任に座ったばかりだった。実は、この役員会（全党派出席）で図書館事業振興法（仮称）を議題として取り上げ、最終的には図書議員連盟のなかに、超党派の検討委員会をつくり、各関係省庁ともよく話し合いながら、早い時期に議員立法としてまとめてゆくことが全員の賛成で決まり、翌二九日（図書館大会初日）には祝辞で細田も触れているように朝日、読売両紙で報道された。

朝日新聞によれば、「図書館相互の情報交換推進、振興法案提出決める」というベタ記事ながら、図書議員連盟の役員会で「次の通常国会に『図書館事業推進法』を提出することを決めた」と、いささかフライング気味の内容になっている（朝日新聞、一九八一年一〇月二九日付）**【図1-1】**。

検討委員会がまとめた第一次案の主旨は、①すべての図書館が一体となって、それぞれの利用者の要望に応じる体制をつくる、②すべての市町村、学校、大学に図書館を必置充実する、③図書館は専門職員によって運営さるべきである、を基本理念とする。その上で五年後（一九八六年）に控えた国際図書館連盟（IFLA）大会の日本開催までに実現したいと、主旨説明を行った検討委員会座長代理の佐野友彦全国学校図書館協議会（SLA）事務局長は希望を付していた（前掲「報告・その七」）。

図書館大会二日目の図書館政策の分科会では「図書館振興の特別立法について」が議論されていた。発表は検討委員の一員でもある奥野定通日図協図書館政策委員長の「図書館事業基本法要綱（案）」の主旨説明から始まり、利用者、学校図書館、公立図書館、大学図書館、専門図書館、専門職員、点字図書館、それぞれの立場から要綱（案）に対して意見を述べるという形をとっているのだが、肝腎の要綱（案）が未だ抽象的な上、公表後一ヶ月余では、一般の図書館関係者の関心も薄い。質疑応答も行われたが、「大会記録」を見る限り、当然ながら質問や否定的意見の方が多く、あまり中身のある議論には発展していない。分科会出席者数も九三名。一一分科会の中、二番目に低い数字だった。おそらく、図書館大会に参加する現場の図書館員には具体性の欠ける図書館振興の特別立法などにはあまり関心が持てなかったのであろう。

〈五〉なぜいまの時点で？――国立大学図書館協議会の離脱

栗原は「数多くの参加者のなかで終日熱い議論が展開された」と記しているが、実際とはかなり異なっているようだ。だが、「なぜいまの時点で、〈基本法〉をつくる必要があるのか、図書館法等との関連も含めて、わが国の全館種にわたる図書館発展と法や国家の役割との関係が更めて深く考えられ始めたのである」（前掲「報告・その七」）と記したことは、その後現実のものになって行った。

翌一九八二（昭和五七）年一月号の『図書館雑誌』（第七六巻第一号）で栗原は、「第一次案報告」に対する図書館関係団体の批判的見解を報告する（「報告・その八」）。

図書館問題研究会、図書館労働者交流会、児童図書館研究会、大学図書館問題研究会、それら団体の会員や、研究者、ジャーナリスト等による『図書新聞』、『日本読書新聞』、『新文化』等の書評紙や出版関係紙での論説等、批判の中身は多岐にわたるが、その多くは「第一次案報告」を読むだけでは当然な疑問であった。栗原が先に記した「なぜいまの時点で、〈基本法〉をつくる必要があるのか」がまさに問われ始めたのである。だが、これらの疑問や批判を公表した組織はすべて個人加盟の任意団体や個人だった。

ところが、この図書館事業振興法（仮称）検討委員会に当初から参加し、正式メンバーの国立大学図書館協議会の批判的見解は、他の団体や個人の批判及び反対意見とは次元が異なっていた。先に記した図書議員連盟の役員会で、佐野友彦検討委員会座長代理が「第一次案」の主旨説明を行っているちょうど同じ日（一九八一年一〇月二八日）に国立大学図書館協議会（会長は裏田武夫東京大学附属図書館長）は役員会を開き、反対意見書を作成していたのである。裏田名の意見書は一一月六日、有馬元治図書議員連盟事務局長に提出される。

栗原報告によれば、その「内容は、『大学図書館の負う任務の特性とその管理運営の根本を為す大学の自治と研究・教育の自由に関する洞察に欠けるものがある』として、図書館政策委員会の設置や図書館振興財団の設立等について批判的見解を述べたものである」(前掲「報告・その八」)。

この栗原報告では、これ以上記していないが、すでにこの時期、国立大学図書館協議会は検討委員会への今後の参加を保留していた。さらにこの「保留」を受けて国公私立大学図書館協力委員会も一九八一(昭和五六)年一一月五日に奈良県立医科大学附属図書館で開催した第七回委員会で、今後はこの検討委員会に参加しないことを決定していた(『大学図書館協力ニュース』第二巻第四号、一九八一年一一月)。

ここに当初の検討委員会参加一一団体の中二団体が抜けたのだが、実質的には公立大学協会図書館協議会、私立大学図書館協会も離脱したのだった。つまり、国公私立大学図書館協力委員会が参加しないということは公立大学も私立大学も協力しないということである。

一方、検討委員会のまとめ役である日本図書館協会内部でも組織的手続き問題も含めてさまざまな質問、意見、批判等が続出した。一九八一(昭和五六)年一二月一一日、日図協は、図書館事業振興方策に関する理事、監事及び評議員九三名による合同役員会を開催し、栗原均事務局長と奥野定通政策委員長が事情説明、解説を行った。

当日も多くの意見交換がなされたが、「報告・その八」で、栗原は、「全ての館種の課題を組織内に抱えている日本図書館協会としては、館種間相互理解の前に横たわる、大きな溝を埋め、橋を架け渡

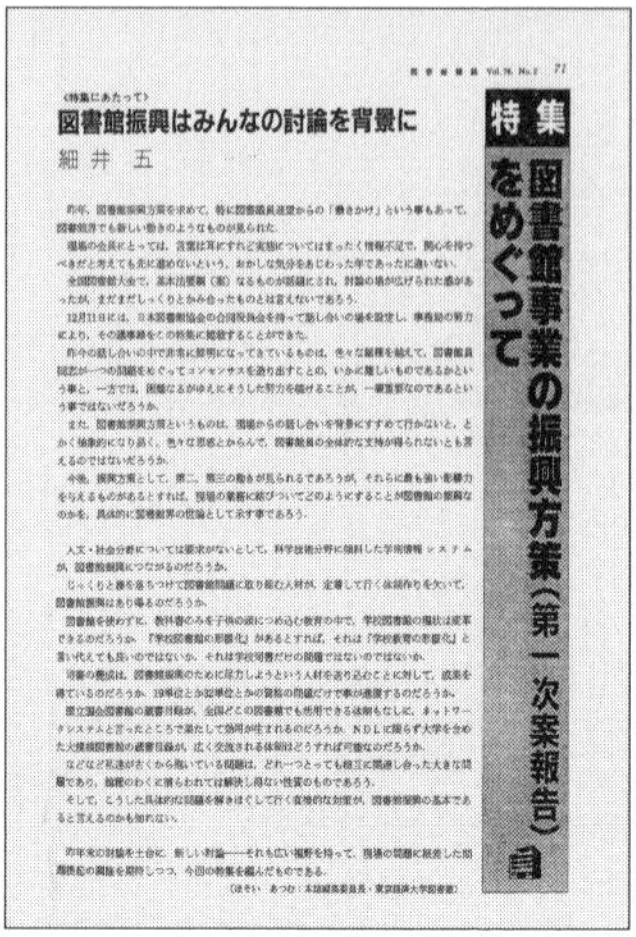
図書館雑誌 Vol.76 No.2 71

特集 図書館事業の振興方策（第一次案報告）をめぐって

〈特集にあたって〉

図書館振興はみんなの討論を背景に

細井 五

図1-2

す努力を今後とも続けなければならない」といい、さらに「全国の図書館関係者が連携して、それぞれの地域的あるいはその他のつながりにおいて、国会議員等に図書館の現状とあるべき姿を訴え、全面的な図書館振興策を、国政の重要課題として理解を深めて行くことが、よりよい〈法ならびに行政〉を自ら主体的につくり上げることではないだろうか」と、法成立に意欲を示している。

翌一九八二年二月号の『図書館雑誌』（第七六巻第二号）は、「図書館事業の振興方策（第一次案報告）をめぐって」特集を組む【図1－2】。

〈六〉『図書館雑誌』での特集

「特集」は、先の合同委員会の議事録を載せ、森崎震二（専修大学教員）、にしむらさえこ（東京江東区立城東図書館）、網本正巳（調布学園女子短期大学図書館）、宮川隆泰（三菱総合研究所）、糸林保夫（日本盲人社会福祉施設協議会点字図書館部会）の五氏の意見を掲載する。

細井五編集委員長（東京経済大学図書館）は、〈特集にあたって〉で「図書館振興はみんなの討論を背景に」と以下のように訴えた。この問題は昨年（一九八一年）、出てきたが、「現場の会員にとっては、言葉は耳にすれど実態についてはまったく情報不足で、関心を持つべきだと考えても先に進めな」かった。しかし、一二月一一日の合同役員会の議事録をこの特集に掲載出来た。それらの話し合いの中で非常に鮮明になったのは、①館種を越えて、図書館員同志が一つの問題をめぐってコンセンサスを造り出すことの困難性と、その重要性、②振興方策は、現場からの話し合いを背景に進めないと、抽象的になり、色々な思惑もからんで、図書館員の全体的な支持を得られない、③今後第二、第三の振興策の動きもあるが、最も強いのは現場の業務に結びついた振興策を具体的に図書館界の世論として示すことであろう。

そして細井は、科学技術分野に傾斜した学術情報システムの問題、学校図書館の形骸化の問題、司書の養成の問題、国立国会図書館と大規模大学図書館の蔵書目録の活用の問題等々を例に挙げ、このような「私達が古くから抱いている問題は、どれ一つとっても相互に関連し合った大きな問題であり、館種のわくに捕らわれては解決し得ない性質のものであろう」という。

それでは、先に記した五氏は、(第一次案報告)をどのように考えたのか、見ておこう。まず森崎は元国立国会図書館員。戦後公共図書館発展の流れを総論的に概括し、法要綱(案)は不十分で、「国民レベルにたって政治課題としての図書館問題の処理に対しての積極的提案を用意すべき時である」と主張する。

にしむらは、公共図書館の振興策として図書館システムと司書制度の確立を挙げ、国の任務としては安易な義務設置ではなく、財政的援助を期待する。

森崎もにしむらも「公共図書館の発展は、新しい時代の担い手である民衆の支持を受けてのみ可能であり、図書館奉仕も、平和な、明るい民衆の生活向上を目指してこそ、その意義を果たすことができる」と綱領に掲げた図書館問題研究会（図問研）の有力な会員であった。にしむらが記しているように図問研ではすでに、検討委員会に九項目の質問を出し、関係者を招いて学習会も開いていた（注2）。

（注2）図問研は一九八一（昭和五六）年十月に委員長千葉治名で「今、求められている図書館振興の基本は、すべての市町村に図書館があり、そこには司書が必ず配置されていることだと思います。そのために具体的には何をするのかが、国および自治体その他に求められていると考えます。よりよい振興策となるよう期待しています」として、1「基本法」について、2すべての館種を一体として振興することについて、3公立図書館設置の義務について、4過疎地域の学校図書館と公共図書館との共同利用図書館について、5図書館政策委員会、6図書館ネットワークについて、7図書館振興財団について、8専門職員の資格要件について、9検討委員会について、以上9つの質問を挙げている（『みんなの図書館』一九八二年二月号）。この質問書に対して図書館事業振興法（仮称）検討委員会は、「公立図書館振興の基本」が「すべての市町村に図書館があり、そこに専門職員である司書が配置される条件を、具体的につくりだすことにある」という図問研の見解に同意した上で、9つの質問に対して一応の回答をしている（昭和五七年四月二四日付）。図問研はこの回答に①地方自治の原則、教育行政の中立性を侵

す危険性、②国による図書館の一元的統制、③研修の義務化は権利としての研修の侵害、④振興財団の曖昧さ、⑤義務設置は国の統制を受けやすい、等々の疑問点を列挙し、「反対すべき図書館政策」であるという。その上で図問研は「住民の権利としての図書館」を展開するための政策作りを行っている、という（図書館問題研究会常任委員会「「図書館事業基本法」についての見解」『みんなの図書館』一九八二年六月号）。とはいえこの時期、図書館事業基本法（案）は国会上程も見送られており、事実上破綻していた。したがって九月の第二九回図書館問題研究会全国大会のテーマも「民主主義・平和の砦としての図書館政策づくりを」で、図書館事業基本法にはほとんど触れていない（『みんなの図書館』一九八二年九月号、一二月号）。☆

網本は短期大学図書館の立場から、短大図書館が財政的にいかに貧困な状態にあるか、『学術雑誌総合目録』や『雑誌記事索引』の例からも分かるように相互協力網からも疎外され、文部省主導の学術情報システムからも相手にされない懸念がある。法制化によって短大図書館が振興することを期待する、という。

宮川は専門図書館の立場から、法案の理念に基本的に賛成である。現在、科学技術庁のＮＩＳＴ構想、文部省の学術情報センター構想、国立国会図書館のジャパン・マーク構想などいくつかの全国ネットワーク構想があるが、それぞれが相互補完、重複回避、効率化の観点から協力し合うことが必要な時期に来ている。この意味では、中央レベルにおける図書館政策全般についての調整が必要である、という。

糸林は点字図書館として、ネットワーク、読書機器開発等、実験図書館の設置、スタッフ養成機関の設置等、財政援助も含めて法案に期待する、という。

その他にも「北から南から」の投稿欄に高橋恵美子（神奈川県立座間高校学校司書）が「学校司書の立場から」、上田友彦（兵庫県立図書館）が「図書館振興の鍵は職員制度の改革にこそ」という意見表明を記している。

同じ号の「報告・その九」によれば、一月一九日、第八回の検討委員会を開催し、その中で〈要綱（案）第一次報告〉提出後の各団体内部での検討状況と問題点、今後の検討委員会のあり方が討議され、同時に国立大学図書館協議会の意見書によって、公立大学図書館協議会長、国公私立大学図書館協力委員会の検討委員会からの離脱問題を初めて公表し、検討委員三名（佐野友彦、岩田斉、栗原均）が裏田武夫国立大学図書館協議会長に今後も協力を依頼した、という。

そして検討委員会は、〈第一次報告〉で解散し、議員、行政、法制等各機関との交渉を持続するために、新組織が必要で、その新組織は四月上旬頃を目処として発足したい。それまでは、必要に応じてこの委員会を開催する。最後に栗原は以下のように記している。

「長いわが国図書館発展の歴史の上で、今日は一つの重要な転機に違いない。さまざまな課題の克服に当って、われわれ図書館人は、新しい時代を拓くための、賢明かつ慎重な配慮と共に、積極的姿勢を失ってはならないと思っている。同職の士の協力を心からお願いしたいと思う」（前掲「報告・その九」)。

だが、この日以降、検討委員会は開催されることはなかったし、四月予定の新組織も結成されることはなかった。

〈七〉その後の動向

とはいえ、その後も要綱（案）に対する数多くの疑問、批判がいろんな場で発表された。が、図書館界全体としては、共同の場での新しい取り組みは行われなかった。図書議員連盟のなかに設置された「図書館振興対策委員会」も、図書館界内部の意向のまとまりを待つかたちで表だった活動はなされなかった。

そんななかで一九八二年一〇月号の『図書館雑誌』（第七六巻第一〇号）**【図1-3】**が「図書館振興をめぐって――図書議員連盟にきく――」という小特集を組む。編集委員会が図書議員連盟に所属する二七七名の国会議員（衆一九一名、参八六名）に図書館振興に関するアンケートを行ったもので、四三名（回答率一六％）から回答を得ている。この回答を集約した栗原均日図協事務局長は、図

図書館雑誌 Vol.76, No.10 659

小特集：図書館振興をめぐって ―図書議員連盟にきく―

図書議員連盟議員のアンケート回答をみて
――「図書館事業振興方策第一次報告」から1年――

栗原 均

昨年9月，上記の報告書が図書議員連盟事務局長に提出されて以来1年が経過した．この間，報告書全体というよりも，そのなかで提起された「図書館事業基本法要綱案」の考え方や各条項の内容に，数多くの疑問・批判が発表された．館界全体としては，論議の方向を注目しながらも，共同の場で新しい取り組みは行われていない．

図書議員連盟のなかに設置された「図書館振興対策委員会」も，図書館界内部の意向のまとまりを待つ形のようである．

協会の雑誌編集委員会が，図書議員連盟に所属する各議員に，別掲のアンケートを行い，このたび回答を発表することになった．43名もの多くの議員が（そのなかには，職務の立場上，外遊・病気等の理由で3名の方が意見を保留されたが）ほとんど自筆で，積極的に自分の考えを認めて来られたのには感銘した．

内容の詳細は直接ご覧いただくとして，各設問ごとの議員の意向を集約してみたいと思う．

問1 貴選挙区の図書館情況について

比較的整っている，充実しつつあるとした人よりも圧倒的に，不充分（特に町村段階）とした人が多く，かなり適切に出身地域の公立図書館状況を理解されている．しかし，住民からの陳情がない，また反対に，各市町村からの要望が強い等の意見も添えられ，図書館側からする住民や行政当局に対する積極的アプローチの必要を指摘する．図書館の地域格差や，書物があるだけで人による活動が不足しているとの指摘もあり，図書館活動の中味に関心をもっていることがうかがえる．

問2 「生涯教育」の推進と図書館充実における，国としての必要対策

社会的に不可欠な基本施設として図書館機能が重要であるとする認識については共通しているものの，生涯教育体制確立に相応する思い切った図書館振興政策の策定・実施が必要とする考え方と，国は余り関与すべきでないとする姿勢に分れる．具体的方策のなかに，住民参加の必要性と公民館活動や学校図書館との連携協力を示唆している人もいる．

問3 わが国図書館の現状や将来についての意見

図書館サービスの方法・内容を，より改善・充実して欲しいとし，青少年対象の活動，障害者サービス，外国語学習に対応できる施設の整備等，具体的な提言と共に，全市町村における図書館必置，図書館活動のシステム化や図書館ネットワークの組織化，専門図書館の充実と連携等についても触れるところがある．

国民の読書の自由の観点から図書館整備を図るとする意見や，高校図書館における特定図書排除は子どもの教育権保障からみて問題であり，（問1における回答に含まれているが）公立図書館の民間委託傾向についても懸念を示すなど，最近の図書館界の問題に深い関心をもっている．

問4 「図書館事業基本法要綱案」についての感想

当然のこととして各議員とも最も深い関心をもって意見を述べている．早急に制定・早期成立させたいとする意見と，さらに広く国民の意見を反映する議論をすすめること，情報管理面での論議をまとうとすること，関係設置については，当然予算的裏付けが必要でありそのつき合せを充分にすること，画一的振興策よりも各地域・図書館の特色ある発展策を等の指摘がみられる．

全般的には(案)策定の意義を肯定しつつも，不備，不足面を補うことと，「図書館振興策委員会」や「図書館振興財団」に対する再検討を求める人もいる．

•

日本図書館協会としては，この1年間の館界はもとより，社会的意見をふまえながら，「図書館振興策委員会」を中心に研究・検討を重ねる一方，当面各団体と協力して，各館種ごとの振興政策の進行をはかってまいりたい．

（くりはら ひとし：JLA事務局長）

図1-3

書館振興へ向けた今後の方向性を探っている。

問一　貴選挙区の図書館情況について

圧倒的に、不充分（特に町村段階）とした人が多く、図書館側から住民や行政当局に積極的なアプローチが必要。

問二「生涯教育」の推進と図書館充実における、国としての必要対策

社会的に不可欠な基本施設として図書館機能が重要という認識は共通しているが、図書館振興政策については国が積極的に策定・実施すべきという意見と国は余り関与すべきでないとする姿勢に分かれる。

問三　わが国図書館の現状や将来についての意見

青少年対策の活動、障害者サービス、外国語学習など具体的な提言と同時に、全市町村における図書館必置、システム化やネットワークの組織化、専門図書館の充実、連携など。民間委託への懸念を示す意見もある。

問四「図書館事業基本法要綱案」についての感想

当然、各議員とも最も深い関心を持っている。ただ制定、ぜひ成立させたいとする意見と、さらに広く国民の意見を反映する議論を、という声もある。全般的には（案）策定の意義を肯定しつつも、不備、不足面を補うことと、「図書館政策委員会」や「図書館振興財団」に対する再検討を求める人もある。

このようにまとめて栗原は、今後の日図協としての方向性を日図協の「「図書館政策委員会」を中心に研究・調査を重ねる一方、当面各団体と協力して、各館種ごとの振興政策の進行をはかってまいりたい」というに至る。

ここに、一九八〇（昭和五五）年秋、鹿児島で開催された第六六回全国図書館大会での有馬元治図書議員連盟事務局長の唐突な発言から急速に動き出した図書館振興の議員立法（案）は実質的には幕を閉じることになる。まさに大山鳴動して鼠一匹の類だった。

このあたりの微妙な経緯と当時の日図協事務局長としての思いを、後に栗原は、私（東條）と堀渡のインタビューに応えて概要、次のように語っている。

公共や大学や学校や専門やいろんな図書館の全国組織が整ってきた。ただ、それぞれの図書館がつながっている上の役所は異なる。その縦割りの役所の違いを越えて、図書館の立場で横に連ねる。いわば図書館界の合従連衡を目指したのだ。その面倒を見ようとしたのが国立国会図書館。その背景には、文部省の公立図書館に対する消極的な姿勢があった。じっさい一九八四（昭和五九）年七月の文部省の機構改革で公立図書館は社会教育課から学習情報課所管に、大学図書館は図書館情報課から学術情報課所管になり、文部省の課の名称から「図書館」が消えた。ただ、私（栗原）の願いとしては、学習情報課の図書館振興係を発展させて、出版情報と全国の公共図書館の振興・充実の基盤づくりを所管する図書館振興課を文部省のなかにつくりたい、というものだった（「ロングインタビュー──異色の図書館人栗原均」『ず・ぼん』⑨、二〇〇四年)。

とはいえ、栗原の思いは実現しなかった。現在(二〇二〇年)、文部科学省のなかで公立図書館は総合教育政策局地域学習推進課図書館振興係の所管になっている。

まさにあっけない幕切れに終わったのだが当時の危機感はごく一部の図書館人だけのものではなかった。今から思えば少数派の運動といえるが、雰囲気的には「反対派」が多数を占めていた感さえあった。次章では「反対」の中身を見ていきたい。

第二章

図書館事業基本法に反対する会と図書館労働者交流会

〈一〉法案のどこに危惧し、反対するのか

「図書館事業基本法に反対する会」（以下、「反対する会」と略記）の結成大会は一九八二（昭和五七）年四月二三日、東京の総評会館で開催された。公共図書館、学校図書館、大学図書館、点字図書館等の図書館員、出版者、市民、学生など約三〇〇名が参加する。当日採択された決議文を見れば、「反対する会」が事業基本法案のどの部分に最も危惧を持ち、反対しているのかがよく分かる。

不発の図書館立法
振興の旗の下
怖い国家統制
物静かな館員も猛反発

図2-1　朝日新聞朝刊　1982/4/29

「全体の半分近くを費やして述べられている「図書館政策」、「図書館の相互協力」の諸事項について考えてみると非常に大きな問題に突き当たります。すなわち内閣に置かれるという「図書館政策委員会」の性格、権限、それにかかわる諸事項です」。

つまり、「図書館政策委員会」は、単なる諮問機関ではなく、「図書館政策を策定し、予算を配分し、行政指導し、職員の研修を行う等強力な行政権力を持った機関」で、「地域や館種の特性、個性を越えて一元的に統括することにな」る。しかも、「図書館の相互協力」として全国のあらゆる図書館のネットワークの形成を目指しているのはコンピュータ導入による全国オンラインシステムだ。これは、「現在国立国会図書館がすすめているJAPAN・MARC（機械可読式目録）と大手出版・流通業界がすすめているISBN（国際標準図書番号＝本の総背番号制）とを結び付けて、住民―図書館―書店―出版者―著者という言論・出版・読者（思想）という文化を担う人たちの諸情報を国家が一元的に管理することを可能に」する（以上、図書館事業基本法に反対する会「反対運動の経過と現在」『季刊としょかん批評』第一号、一九八二年一二月）。

かんたんに言えば、行政権力＝国家による情報の一元的管理によって「読書・図書館の自由、教育・研究の自由、言論・出版の自由」が侵される危険があるので断固反対する、というものであった。

「反対する会」は以後、月一回「学習会的側面と行動提起を両軸」とした懇談会を開き、公共図書館員を中心とした運営委員会方式でニュースの発行や情報の収集、懇談会の準備等、事務的作業を行うことも決めた。

情宣活動は、図書議員連盟加盟の社会党（当時）議員に「図書館事業基本法上程阻止等の要請」を提出すると同時に、業界紙（誌）だけでなく、一般紙（誌）でもその「危険性」を訴えていった。手書き記事と新聞や雑誌記事の複写を切り貼りしたB四判の『図書館事業基本法に反対する会ニュース』も四月二三日の創刊号から不定期ながら二ヶ月か三ヶ月に一度は発行された（注1）。

（注1）当初の発行所は東京都文京区本郷の武藤ビル303号。第15号（一九八五年三月二十日）から最終19号（一九八六年十一月十五日）までは、東京府中市の堀渡宅。☆

「反対する会」が結成された直後の朝日新聞（一九八二年四月二九日付）**【図2-1】**には「不発の図書館立法／振興の旗の下、怖い国家統制／物静かな館員も猛反発」という記事が出る。記者署名入りのこの記事は、一九八〇（昭和五五）年秋の全国図書館大会鹿児島大会での有馬元治代議士の発言から始まった「図書館事業基本法」制定への動きを要領よくまとめ、図書館界の足並みが揃わないことが今国会への上程を見合わせた原因だが、日本図書館協会は「五年以内に要綱案を再検討する」と言っており、次のチャンスをねらっている。「いつも平穏で、世間の関心も薄い」図書館界だが、「言論、出版、読書の自由の保証《（ママ）》の場」だ。問題点をはらんだ法案が市民にほとんど知らされないまま日の目を見かねない懸念がある、と指摘している。

この記事は、「振興の旗の下、怖い国家統制」という見出しでも明らかなように、反対派に極めて好意的な論調になっている。もう少し言えば、悪いのは推進派の元締の日本図書館協会、正義派は、「図書館の自由」を拠り所にこの法案に反対する図書館関係者や「大学の自治と研究・教育の自由」を盾に異議を唱えた国立大学図書館関係者、という構図である。この記事の六日前の四月二三日には同じ記者が「ひと」欄に、当時『月刊自治研』に「図書館の労働者運動」という連載を執筆していた「図書館労働者の会・横浜」の木村隆美を「図書館事業基本法に反対する」「ひと」として好意的に紹介していた。

〈二〉反対運動の激化

ところで、図書館事業基本法問題は先に見たように、一九八二（昭和五七）年一月に日本図書館協会会館で開かれた第八回検討委員会で各団体（特に国公私立大学図書館関係者）の足並みが揃わず暗礁に乗り上げていたのだが、この記事を見れば、まだまだ再上程の危惧があるように読める。

じっさい、「反対する会」は、先の朝日新聞の記事に反応し、「〝不発〟ではない、勝負はこれから！」として「要項（案）」の中身が検討されたわけではなく、反対派を説得するための冷却期間を置いているのだ、と解釈し、闘う姿勢を継続していく（『図書館事業基本法に反対する会ニュース』第三号、一九八二年六月一六日、以下「反対する会ニュース」と略記）。そして、闘いの焦点を一〇月一四日から一六日まで福井で開催される第六八回全国図書館大会に定め、情宣活動に取り組んでいく。

しかし、昨年（一九八一年）の埼玉大会では出席し、図書館事業振興のための特別立法を高らかに喧伝した細田吉蔵図書議員連盟会長は福井大会には顔を見せず、祝辞代読の中身でも「なるべく近い将来において、財政状況の好転とも睨み合わせながら、検討を進めたい」と明らかにトーンダウンする。同じく浜田敏郎日本図書館協会理事長の基調報告も法案の件にはまったく触れなかった。

さらに、図書館政策の分科会の発表報告でも、米国、中国の図書館政策の紹介、日本の政策では、全国公共図書館協議会がこの年（一九八二年三月）に発表した「図書館全国計画【試案】—公共図書館の広域システム化計画—」、いわゆる図書館のナショナルプランについてがメインで、肝腎の図書館事業基本法案については、会場からの質問に応えるという形でしかなかった。

その回答も、日図協から図書館事業振興法検討委員会に委員として参加していた鈴木四郎（浦和市立図書館長）は、個人的見解としながらも「第一次法案は死んだものとして白紙にかえった」。「日本の複雑な官僚機構の中では図書館だけの立法の制度は難しい」。また日図協常務理事の清水正三は、先の朝日新聞の記事（四月二九日付）は「日図協が法案を進めていると受け取れる」が「大変な誤解であり」、「日図協は一一の構成団体の一つとして参加している」に過ぎないし、あの法案については日図協として「機関決定できないというのが常務委員会の決定」である、と応えた（『昭和五七年度全国図書館大会記録　福井』、昭和五七年度全国図書館大会実行委員会、一九八三年）。

「反対する会」を始めとする反対派にとっては、肩透かしを喰わされた感は否めないが実際、この時点で清水正三が言うように、日図協としては身動きが取れない状況であったし、より正確には、鈴木四郎が言うように、「複雑な官僚機構の中で」いくら超党派とはいえ議員立法で図書館振興の法案を築くことは不可能だったろう。だが、「反対する会」は、日図協の煮え切らない姿勢により強硬に日図協批判を強めていく。逆に言えば、日本図書館協会という存在を過大評価していたと言ってもよい。

〈三〉『季刊としょかん批評』の発行

そんな中で『季刊としょかん批評』（せきた書房、一九八二年一二月）【図2-2】が「特集「図基法」状況を考える」と題して発行された。編集委員会の「「図基法」状況とは何か」を読めば、当時の反対派の状況認識がよく分かる。

まず、図書館振興を掲げた「図基法」構想の要綱案は、「内閣に強力な図書館政策委員会を設置し、コンピュータ・ネットワーク・システムを通じて、あらゆる種類の図書館を、国家が一元的に管理する内容をもった、新型の統制立法である」と断定する。

戦後三〇年、「利用者本位、住民のための図書館、図書館の時代、等々のイメージは、人びとの支持を得て、ようやく受肉の段階を迎えつつある」ようだ。だが、「図基法」構想は、戦後の図書館の発展を支えた理念を根底から覆すものであり、「館界内外の批判・反対運動に拒まれて」国会上程はとりあえず見送られたが、現在のこの国の状況が変わらない限り、「問題」は「ふたたび噴出する」。では、現在の状況とは何か。

一つには、情報産業育成の国策や「臨調・行革」である。だがこれだけではない。もう一つは、図書館の発展である。図書館の役割の増大である。いわば市民権を得た図書館が、より利用者へのサービスを追い求めて、便利なコンピュータ・ネットワークに参加する姿勢を見せている。「図書館振興への期待は、かくして財源を求めて、しきりに国家の図書館政策の登場を要請する」。

このような「量的拡大を第一義に追求する図書館」が「読書の自由」の砦になるのか。国家や資本を要請する図書館に対して、私たちは図書館現場で、日常のサービス活動の中で、「どのような主体的理念と技術上の対抗基準を」培ってきたのか。「読書の自由」を生かすに足る、「どのような活力ある職場編成や労働環境をつくりあげてきた」のだろうか。

図2-2

以上のような編集委員会の問題意識は、「図基法」構想とは国策であると同時に戦後図書館の発展がつくり出したものであり、であるならば、戦後図書館総体を問い直す作業を私たちは開始しなければならない、という。読み方によっては、単なる大風呂敷を広げた大言壮語に過ぎないと言われても仕方のない主張だった。

おそらく、編集委員会もそのぐらいのことは十分承知の上で、この一種の檄文を綴ったと思われるが当時、このような状況認識を迫る雰囲気は、図書館をめぐる周囲には確実に存在していた。だからこそ、図書館関係者全体から見れば、ごく少数ながら、この「図書館事業基本法に反対する会」を始め、「図書館労働者交流会」、「学術情報システムを考える会」、「図書館を考える会」、「図書コード問題を考える会」等がほぼ同じ時期に設立されたのである。

では、このような「壮大な問い」を掲げて創刊した『季刊としょかん批評』の中身はどのようなものだったのか。

「「図書館事業基本法」の問題性―立法化の意味と背景―」の筆者山崎真秀（東京学芸大学教授）は、憲法、教育法を専攻する立場から、「要綱案」の法的問題性を指摘する。

「八〇年代図書館振興策の基軸―「中小レポート」と「市民の図書館」への敬礼だけでは図書館の振興は期せられない―」の筆者菅原峻は、図書館計画施設研究所長の肩書で個人誌『としょかん』を発行。一九七八（昭和五三）年三月まで日図協勤務。菅原の論旨は、「要綱案」も全国公共図書館協議会の全国計画（ナショナルプラン）「試案」（一九八一年）も体制依存型の図書館振興策で「中小レポート」、「市民の図書館」の理念とは正反対であり、まともな図書館員がこんな振興策に組するはずがない、という。

「図書館と戦争責任の問題」の筆者裏田武夫は東京大学の図書館学専攻の教授で、附属図書館長。かつ国立大学図書館協議会会長。裏田は、当時アジア諸国から問題視されていた日本の教科書問題と南北朝鮮、中国、東南アジアでの図書館の図書を日本軍がぞんざいに扱ったことに触れ、図書館の戦争責任を問い、日本の図書館員として贖罪する必要性を説く。が、肝腎の図基法については、戦前よりも強力な中央統制が考えられていることに危惧する、というのみ。

「「文化」で見る図書館―ビジネスの論理に抗して―」の筆者くろこつねを（黒子恒夫）は、保谷市立図書館長で思想の科学研究会員。図書館利用者と図書館員、両者の目から見た図書館文化論を述べ、「市民の図書館」路線の継承を支持する。

「もう一つの視覚―文部省分割論と憲法改悪プラン―」の木村隆美は、横浜市鶴見図書館職員。「反対する会」の論客の一人で当時、『月刊自治研』に「図書館労働者論」を連載中。論旨は、一九七七（昭和五二）年一一月に閣議決定された「第三次全国総合開発計画」（三全総）から説き起こし、八〇年代の国家戦略のなかに、教育委員会―文部省をも乗り越え、「基本的人権の尊重」「主権在民」を脅かす「憲法改悪・日本人統合」への思惑を読み解き、その一環に「図基法」構想もある、と位置付ける。

「出版物が狙われている―管理ファシズムへの道―」の小汀良久は、出版流通対策協議会副会長で新泉社代表。論旨の中心は出版界、特に流通問題の合理化にコンピュータ導入が至上命令になっている現状を新再販制、ISBN（国際標準図書番号）問題と関連させて、中小出版社への出版の自由への侵害だ、と説く。

「問われる国会図書館の原点―内側から―」の加藤一夫は、国立国会図書館調査局文教課職員。国立国会図書館（NDL）での機械化による労働環境の変化から説き起こし、JAPAN・MARC（ジャパンマーク＝機械可読目録）問題、NDLと各図書館とのネットワーク等の問題点をあげ、かつて中井正一が目指した「図書館の主体性」を踏まえ、量的な発展ではなく、質的な発展のなかに図書館の自治を追求すべきという。

「学術情報システムとは何か―電算化の嵐と大学図書館―」の胸永等は、追手門学院大学図書館員。職場での組合運動を踏まえ、文部省が推進する学術情報システム構想を八〇年代の大学再編、大学間格差拡大・強化と捉え、財界、産業界に「開かれた大学」の内実を問う。

「図基法・学図法・学校司書―なぜ「危機感」をいだくか―」の高橋恵美子は、神奈川県座間高校司書。図基法構想にある学校図書館と公立図書館との共同利用案に疑問を呈し、学校図書館法改正運動のなかの問題点、つまり学校図書館に司書教諭と学校司書の二つの職種を置くという全国学校図書館協議会（SLA）と組合側との合意への疑問を記す。学校図書館法に未だ専任の職員の規定もなく、司書教諭も三〇年間も「当分の間」置かなくてよい、という状態が続く中で、図基法による共同利用案に危機感を抱く。

「地域文庫活動者のねがい─えっ、また「打って一丸」?─」の末廣いく子は、保谷市・富士町文庫を主宰。はじめは、「図書館振興」という話に、以前あった東京都の図書館振興施策を全国規模でやるのならありがたい、と期待したが、要綱案を見ると「すべての図書館が一体となって」という表現に戦時中を思い出し、違和感を覚えるという。

その他に、「反対する会」による「反対運動の経過と現在」、編集委員会による「資料・「図基法」のすべて」が掲載されている。この資料の「日録「図基法」」を見ていくと、編集委員会がどのような問題意識で、「図基法状況」に危機感を持ち、かつ反対運動を開始したのか、の一端が見えてくる。

ついでながら『季刊としょかん批評』はその後、第二号「特集　現代史の中の図書館」(一九八三年四月)、第三号「特集　「読書の自由」は?(出版流通と図書館ネットワーク)」(一九八三年一〇月)、第四号「小特集　図書館職業病闘争の記録」(一九八四年七月)、第五号(臨時増刊)「自主講座としての図書館(「図書館する」ための方法叙説)」(一九八四年九月)まで継続・発行された。編集委員は第一号から第四号までは大木礼子、大串夏身、木村隆美、関田稔、堀渡、山本博雄、第二号から与那原恵が事務局担当として加わる。第五号だけは岡村敬二と堀田穣の編集。特集や「編集後記」には、一九六〇年代末から一九七〇年代初頭の新左翼、全共闘系の学生運動の問題意識が反映されているように思われる。

〈四〉「要綱案」に至る過程と図書議員連盟

では、なぜ『季刊としょかん批評』の編集委員らが「図基法状況」という名称まで付け、この図書館振興策に危機感を持ち同時に、図書館関係者のみならず多くの出版、メディア関係者がこの危機感を共有し反対運動に参加したのか。一般には、唐突に映った「図基法状況」に至る過程を編集委員会作成の「資料・「図基法」のすべて」（『季刊としょかん批評』一）と山崎真秀「「図書館事業基本法」の問題性—立法化の意味と背景—」（『季刊としょかん批評』一）、それに『図書議員連盟会議要録一〜四』（昭和五十三年〜昭和五十六年）を参考にかんたんに見ておきたい。

戦後日本の図書館は、ほとんど国家の援助を受けることなく自治体と一部の熱心な図書館関係者の努力によって存続してきた。よく言われる「中小レポート」（一九六三年）と日野市立図書館、『市民の図書館』（一九七一年）の三点セットはいわば、「苦肉の策」の結果であり、本来なら、①各自治体への義務設置、②中央図書館を軸とした図書館網、そして①と②を保障するための国家の強力な財政措置、この三つを図書館法に盛り込まれてこそ日本の図書館は発展するのではないか。いつまでも戦前の亡霊に恐怖するより、国家や成長した企業と連携して諸外国に引けを取らない図書館の充実・発展を目指した方がよい。そのような考えが出てくる基盤はすでに一〇年ほど以前から醸成されつつあった。

一九七一（昭和四六）年四月の社会教育審議会の文部大臣への答申「急激な社会構造の変化に対処する社会教育のあり方」で、図書館のサービス網の整備、相互協力資料充実等と読書指導強化の考えも示され、翌一九七二（昭和四七）年の図書館関係国家予算（地方の図書館建設補助金等）が前年の約九〇〇〇万円から一挙に約五億四〇〇〇万円に増額される。以後もこの補助金が着実に伸びていき、一九七六（昭和五一）には八億七〇〇〇万円、一九七八（昭和五三）年に一一億一六〇〇万円、一九七九（昭和五四）には一六億二九〇〇万円に上って行く（注2）。

（注2）文部省の図書館建設補助金とは、旧図書館法第一三条第三項の館長に司書資格を求めた規定に基づいた図書館建設時の補助金で、本文に記したように、一九七二（昭和四七）年に二〇館、五億円になり、一九八二（昭和五七）年には三九館、二一億八四〇〇万円にまで伸びる。しかし以後は国・地方あげての「行革」路線の影響で減額され、一九九五（平成七）年には二三館、一二億八八〇〇万円まで減額された。一九九九（平成一一）年には、補助金のための館長の司書資格要件が廃止され、文部省以外の他の省庁の補助金を受けて、地方自治法の「公の施設」としての図書館建設が多くなっている。つまり図書館の集客力をあてにした複合施設内図書館の建設である（『戦後公共図書館の歩み―図書館白書1980』、日本図書館協会、一九八〇年及び『図書館は いま―白書・日本の図書館1997―』、日本図書館協会、一九九七年）。☆

一九七三（昭和四八）年には、社会教育審議会施設分科会が図書館法第一八条の「望ましい基準（案）」を発表。

一九七七（昭和五二）年に国土庁「第三次全国総合開発計画」（三全総）の地域基盤整備、定住圏構

想の一環として図書館が取り上げられる。そしてこの頃から『図書館雑誌』でも図書館振興についての意見や特集が取り上げられるようになる。

たとえば、一九七七（昭和五二）四月号の「図書館振興への提言」という特集では、利用者（正木絵梨）、市立図書館長（朝倉雅彦）、文部省社会教育官（本家正文）、図書館学者（弥吉光長）、国立国会図書館総務部副部長（高橋徳太郎）を始め学校図書館、大学図書館、専門図書館の関係者がそれぞれの立場で図書館振興への提言を行っている（『図書館雑誌』第七一巻第四号、一九七七年四月号）。

さらに、一九七八（昭和五三）年二月号でも同じ「図書館振興への提言」を特集し、裏田武夫（東京大学教授）の図書館界のまとまりの無さへの皮肉交じりの長文の与太話（裏田は自ら「駄文」と記している）と文部省の図書館への無理解に対し図書館界が結集して図書館政策の策定を目指すべきだという奥野定通（都立中央図書館）の提言が載る（『図書館雑誌』第七二巻第二号、一九七八年二月号）。

そして一九七八（昭和五三）年五月一二日、図書議員連盟が発足する。事務局は国立国会図書館内。「著書を持ち、本好きな国会議員の超党派の集まり」、「国立国会図書館の予算獲得の応援団」などと言われる。初代会長は前尾繁三郎（自民党）、参加議員数は二四〇名。

発会式当日、発起人代表の細田吉蔵衆議院議員は「日本の今の経済力、日本の予算からみても図書館（国立国会図書館）に少々書庫位を造っても、日本財政がどうなるこうなるということでもなさそうですので、これはこの際、思い切って予算を、それこそ超党派で、本のことならば、一切金のことから何のことまで、我々にまかせておけ、といってもたいした金にはならないのではないかということで、発起人の皆さんと話し合ったというわけでございます」と豪語している（『図書議員連盟会議要録（一）昭和五十三年五月十二日　図書議員連盟発会式速記録』）。

一九七八（昭和五三）年六月、図書議員連盟の役員会資料として「全国図書館網の整備について（案）」を発表。全国公共図書館協議会は「図書館のナショナルプラン（全国計画）について」を発表。一〇月に日図協に「出版流通対策委員会」設置、委員長森崎震二。一一月には国立国会図書館開館三〇周年記念「図書館協力ネットワークに関する国際シンポジウム」が開かれる。図書議員連盟事務局長有馬元治はその基調演説で、図書館の全国的な整備の動きに、われわれは政治家として「立法活動、予算の獲得と配分などを通じての援助を提供したい」。「情報化時代といわれる今日、図書館事業こそは基本的な重要性をもつものであります」と図書館を持ち上げる（『図書館雑誌』第七三巻第四号、一九七九年四月号）。

一九七九（昭和五四）年六月、学術審議会が文部大臣に「今後における学術情報システムの在り方について」を中間報告。同年、自治省は「新広域市町村圏計画」を発表。中央教育審議会は「地域と文化に関する小委委員会」で「文化活動圏構想」を報告。日図協は、図書館政策特別委員会設置、委員長裏田武夫。四月三〇日の図書館記念日（一九五〇年に図書館法が公布された日）には『図書館白書1979』（日本図書館協会、一九七九年）を刊行し、『図書館雑誌』一〇月号（第七三巻第一〇号、一九七九年一〇月号）では、「日本の図書館政策──わが政党はこう考える──」を特集する。中身は、以下の五つの問題点への考えを要請している。

（一）図書館法第一三条三項（図書館長は、司書資格と経験が必要である）の実現。
（二）視力障害者など、図書館の利用が充分にできない人々への対策。
（三）図書館利用教育の推進。
（四）大学、学校、専門、公共等館種を超えた図書館相互間の協力。
（五）図書館資料費の抜本的増加対策。

一方、図書議員連盟は、一九七九（昭和五四）には、役員会を二回、役員懇談会を一回、情報流通部会を一回開く。役員会では図書の再販制について公正取引委員会からの事情聴取と、①国会議員の読書推進、②図書館事業の振興、③出版及びその海外交流、④科学技術情報の拡充・強化、この四項目についてそれぞれプロジェクト・チームを編成し、更に検討を加えることを確認する。役員懇談会では前尾会長からの関西に第二国立国会図書館創設の提起を受け、図書議員連盟でも積極的に取り組むことを確認する。また中山太郎委員長の情報流通部会では、国立国会図書館、科学技術庁、行政管理庁からオンラインシステム等の報告を受ける。会員数は一九八〇（昭和五五年）、二七六名に伸びていた（以上『図書議員連盟会議要録（三）昭和五十五年十一月五日　図書議員連盟総会速記録』）。

一九八〇（昭和五五）年一月、学術審議会は文部大臣に「今後における学術情報システムの在り方について」を答申。そして第一章で記した一般の図書館関係者には唐突と感じた、一九八〇（昭和五五）年一〇月の鹿児島での全国図書館大会での有馬議員の祝辞に至る。

以上のように見てくれば、日本図書館協会も周到とまでは言えないが、ある程度の準備や根回しは施していたとは言える。

〈五〉事実上、破綻したのだけれど

さて、『季刊としょかん批評』の特集「「図基法」状況を考える」を見ていくと、編集委員会がいうように、ここに掲載された各論考の多くは、図書館事業基本法を「状況」として論じることに重点が置かれている。ただ、共通する問題意識は、国家の中央集権的な管理への危惧であることは間違いない。一部には過剰反応と思えるほどの拒否感を持つ論考もあるが、その分抽象的にならざるを得ない。反対する側が具体的な対案を提起する必要はないが、図書館法との関連でいえば、従来の図書館法—中小レポート—市民の図書館という路線からの逸脱に危惧を抱いているのが読み取れる。とはいえ、この路線を今後もずっと継続していくべきだ、と確信を持って展開している論考も菅原峻以外、ほとんどない。そんな中で、学校図書館と公立図書館との共同利用案に異議を呈した、高橋恵美子の論考が現実的で、かつ具体的に図書館問題を論じている、と言えようか。

いずれにしてもこの時期、朝日新聞の論調に反して、「図書館事業基本法」は国会に上程されず、国立大学図書館協議会の検討委員会からの離脱もあり事実上、破綻していた。いくら、「図基法状況」の危機を叫んでも、日々、日常業務に追われている現場の図書館員の関心を呼び起こすことは難しい。

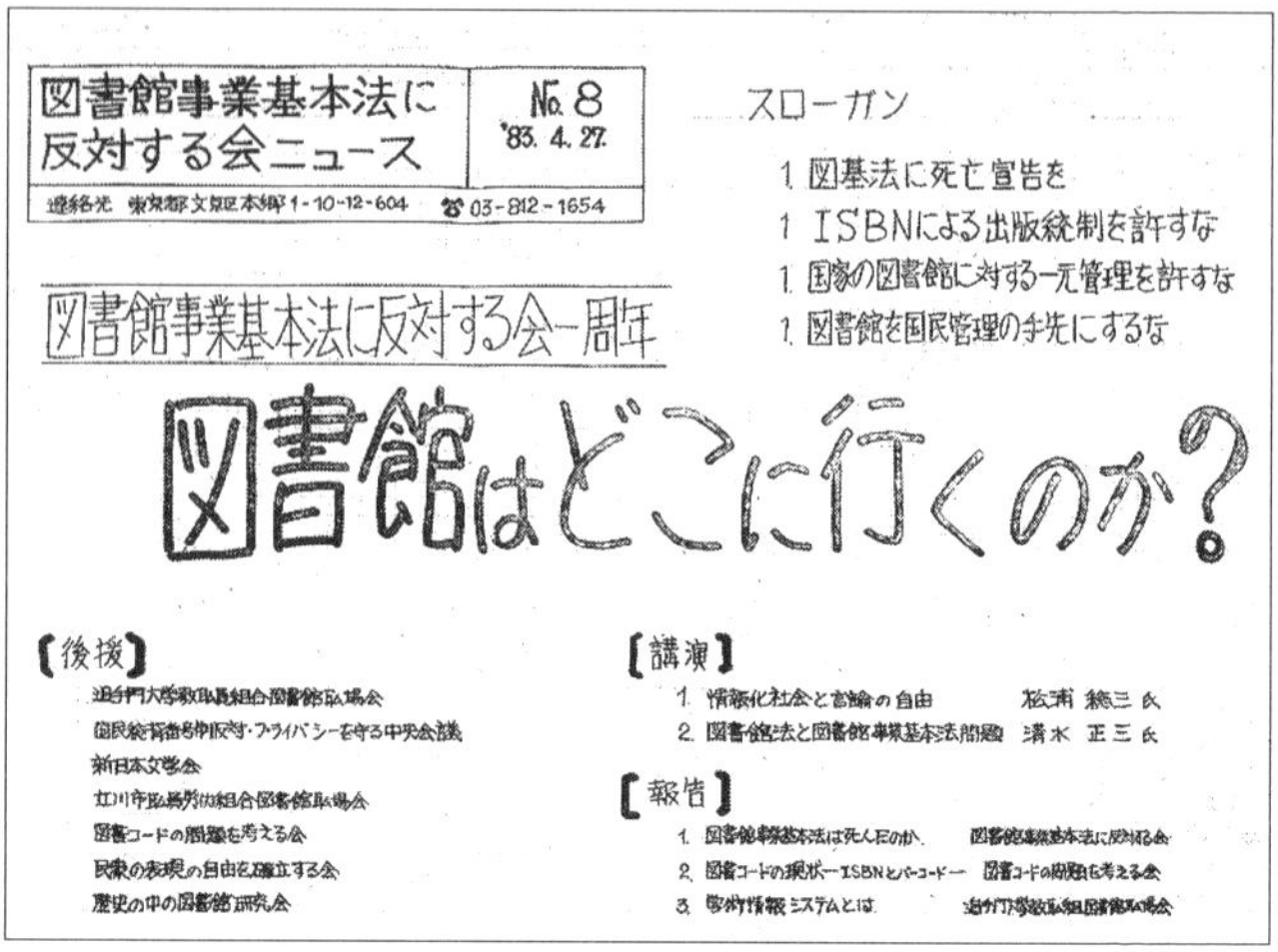

図書館事業基本法に反対する会ニュース

№8 '83. 4. 27.

連絡先 東京都文京区本郷1-10-12-604 ☎03-812-1654

スローガン

1. 図基法に死亡宣告を
1. ISBNによる出版統制を許すな
1. 国家の図書館に対する一元管理を許すな
1. 図書館を国民管理の手先にするな

図書館事業基本法に反対する会一周年

図書館はどこに行くのか?

【後援】

追手門大学教職員組合図書館職場会
国民総背番号制反対・プライバシーを守る中央会議
新日本文学会
立川市職員労働組合図書館職場会
図書コードの問題を考える会
民衆の表現の自由を確立する会
歴史の中の図書館研究会

【講演】

1. 情報化社会と言論の自由　松浦総三氏
2. 図書館法と図書館事業基本法問題　清水正三氏

【報告】

1. 図書館事業基本法は死んだのか。　図書館事業基本法に反対する会
2. 図書コードの現状―ISBNとバーコード―　図書コードの問題を考える会
3. 学術情報システムとは　追手門大学教職員組合図書館職場会

図2-3

じっさい、図書館問題研究会（図問研）は、第一章の（注2）で触れたように、一九八二年度の第二九回全国大会（九月一二～一四日、於京都）では、事実上、図基法への反対運動を停止し、図問研としての政策作りを目指した。と同時に、「反対する会」の行動を「貸出しを伸ばしてきた運動を貸出至上主義と決めつけ、司書職制度確立を「上からの分断支配の具」と考え、コンピュータ絶対反対、図書館システム化を管理の強化と見るという立場で一貫しています」と批判した。さらに、この運動の視点は「住民の資料要求にいかに応えるか、といった図書館の基本的役割についての考えが全くないという、致命的欠陥から生じてい」る。したがって「その本質において、反住民的であり、私たちの運動とは全く相いれない、住民に根差した図書館づくりを混乱させるための運動と言えます」とまで徹底的に批判した（「図書館の進むべき方向をめぐって揺れ動いた一年――一九八一年度の図書館情勢――」『みんなの図書館』一九八二年九月号）。

だが、「反対する会」**【図2-3】**はその後も、「図基法状況」への批判を強めていく。ミニ学習会や講演会、メディアへの投稿や推進派と見られる全国学校図書館協議会（SLA）への抗議、煮え切らない姿勢のままの日図協への抗議等々。一九八三（昭和五八）年四月二七日には、東京御茶ノ水の総評会館で「図書館事業基本法に反対する会一周年　図書館はどこへ行くのか？」集会を開いた。

講演は、松浦総三「情報化社会と言論の自由」と清水正三「図書館法と図書館事業基本法問題」。報告は、図書館事業基本法に反対する会「図書館事業基本法は死んだか」、図書コードの問題を考える会「図書コードの現状―ISBNとバーコード―」、追手門（学院）大学教職組図書館職場会「学術情報システムとは」の三つ。当日採択されたスローガンは、

一、図基法に死亡宣告を。
一、ISBNによる出版統制を許すな。
一、国家の図書館に対する一元管理を許すな。
一、図書館を国民管理の手先にするな。

以上（『反対する会ニュース』第七号・一九八三年四月五日、第八号・一九八三年四月二七日、第九号・一九八三年七月一五日）。

松浦はいわゆる評論家。清水は現在（当時）立教大学の教員だが、戦前からの東京の公共図書館員で日図協の常務理事。図問研の古くからの会員で当時『みんなの図書館』（一九八二年八月号）に「図書館事業基本法」を考える―戦後図書館法制定とその後の経緯を通して―」という論考で図基法（案）を厳しく批判していた。とはいえ、「報告」やスローガンで明らかなようにこの集会は、「図基

法」(案)批判を越えて、図書コードや文部省主導の学術情報システムなどに対する批判、総じていえばコンピュータによる国民管理(労働者管理)に闘いの焦点を置いているように見える。清水も講演で「ISBNやコンピュータ問題などは私はわからぬ」ので触れず、「図基法を徹底的にたたく事は必要だが、しかしそれでは、これからの日本の図書館をどうするのかを考えていきたい」と述べるに留めている(前掲『反対する会ニュース』第九号)。

じっさい先にも触れたように、「図基法」(案)は事実上、「死んだものとして白紙にかえ」(鈴木四郎)っていた。その上、この年(一九八三年)の三月八日に、図書議員連盟は定時総会を開き、日図協がまとめた「図基法」(案)について「各方面から批判が出たことに留意し、その審議制定促進運動はいったん中止した」。この事実を報じた『図書新聞』(一九八三年六月四日)によれば、「図議連としては、同法制定により図書館の財政基盤強化を意図したが、「図書館の国家管理につながる」などの批判が噴出、反対陳情も数次にわたり行われた事情を考慮して、法案主旨の「正しい理解」が得られるまで、その推進を延期するほうが得策、と判断したもよう」と記されている。

以後(一九八三年九月)、日図協の図書館政策特別委員会は、図書館法第一八条の「公立図書館の設置及び運営に関する望ましい基準」に代わる新しい基準の策定を目指す作業を開始し、一九八七(昭和六二)年九月、「公立図書館の任務と目標」(最終報告)として『図書館雑誌』上に公表するに至る。このあたりの事情を日図協の正史ともいえる『近代日本図書館の歩み 本篇』(日本図書館協会、一九九三年)では、以下のようにさらりと書き流しているだけである。

図書館事業基本法に反対する会 ニュース

No. 10

1983. 9. 25

東京都文京区本郷1-10-12-604　☎03-812-1654

とりあえず やったぜ

前号で報告された図書新聞の切り抜きを覚えているだろうか。「図基法」構想は凍結というタイトルで報じられているものだ。私たちは、この報道の確認をしたかった。最近手に入った「図議連の動き（昭和57年度）(1)活動経過のあらまし」をみると、というういきさつで暫時延期となったのかがわかる。（資料参照）

私たちが82.4.23に図基法に反対する会を結成し、その集会決議文を図議連加盟議員に送付したことや、図議連加盟の社会党議員への要請行動を行ったことが及ぼした結果であるとも考えられる。第一次要綱(案)が見送りになったのは、私たちの反対運動の成果であると言ってもよいであろう。

しかし、私たちの主張について「誤解である」とする考え方について、私たちは一層身を引きしめてとりかからねばならない。図基法構想について何ら反省もみられず「『各図書館の財政的援助』とする善意の発想がなぜにゆがめられてしまうのか理解に苦しむ」といった内容に至っては、議員各氏の[illegible]を[illegible]せずにはいられない。本当にそれを望むのなら、なに故、各館種を統括するような「図基法」でなければならないのか。「相互利用の体制の確立」を必要としているのは、いったい何物であるのかを議員諸氏はおわかりになっていらっしゃるのか。「図基法」によって貫徹されていく各館種をまきこんだ図書館ピラミッドは何人に一番利益をもたらすのかを。

法案は「一時中断」されたままである、ということを私たちは再認識しなければならない。日図協栗原事務局長は、手のひらをかえしたように、「あれは第一次案であるから不備なのは当然」という発言をなさっているし、新しい日図協の理事長である高橋徳太郎氏は、図議連の生みの親であり、ナショナルプランの立役者であり、ISBNの推進者であり、ジャパンマークの親玉でもある。この二人が館界で、どんなリーダーシップをとっていくかは容易に想像できる。また、86年にはIFLAがあるので、世界に対する日本のカッコイイところをしっかりと見せねばならないことであろうし、「図基法」の浮上は目に見えている。こんどは、うまく根回しして、どの図書館員が大反対を叫んでもくつがえせなくしてやるぞ、と心のどこかで思っているようにも見うけられる。

図書館とはいったい何であるのかを、真剣に問い直さねばならない時期にきているのではないだろうか。人と本と施設が図書館の三大要素と言われている。近ごろの流行《はやり》は施設のみに重きがおかれすぎていはしないだろうか。委託によって本を知らない図書館員が増え、ベストセラー中心の蔵書構成となり、貸出マシンと化す図書館労働では、無人の図書館ができても理屈としてはおかしくない。こういったセブン・イレブン的図書館は本当に図書館と言えるのだろうか。

図書館サービスの内容とか質とかをことばで言うのはたやすい。しかし、日々の現場での労働の中にそれが体現されていかなければ、何も言ったことにはならない。ごく一部の者の意見が館界の総意であると錯覚をひきおこすような言論のさせ方は、もうやめにしようではないか。

「図基法」状況を打て！ 完全粉砕めざせ！

一人一人が心に念じて行動を起こそう！

図2-4

図書館事業振興法（仮称）を「検討してきた側の考え方は、国の全く無関心な図書館行政を改めさせ、国をあげての図書館振興をはからせることはできないか、というのがその趣旨ではあったが、戦前の苦い経験を知っている多くの図書館員にとっては、いつか来た道という印象を拭うことはできなかったのである」。「しかし、このことによって図書館界は図書館の振興が遅れているのは、国に政策がないから、というわけにはいかなくなった。図書館事業振興法は立ち消えになってしまったが、ＩＦＬＡ東京大会をきっかけに外から図書館をみられるようになったことと合わせ、図書館員自身が図書館振興について、より真剣に取り組むようになったことは確かである」。

〈六〉「図基法状況」批判に向けて

一方、「反対する会」は『反対する会ニュース』第一〇号（一九八三年九月二五日）**【図２－４】**で先の『図書新聞』（一九八三年六月四日）の記事の基になった図書議員連盟加盟議員の「図書議員連盟の動き（昭和五七年度）」の抜粋を「資料」として掲載し、「とりあえずやったぜ」と「図基法」構想の凍結を歓迎した。しかし、法案は「一時中断」のままなので注意しなければならない。特に、日図協の栗原均事務局長は「あれは第一次案なので不備なのは当然」といっているし、日図協の新しい理事長の高橋徳太郎は、「図議連の生みの親であり、ナショナルプランの立役者であり、ＩＳＢＮの推進者であり、ジャパン・マークの黒幕でもある。この二人が館界で、どんなリーダーシップをとっていくかは容易に想像できる」とかなり悪意を込めて注意を喚起する。

その批判の根底にある考え方は「図書館とは一体何であるのか、真剣に問い直さねばならない時期にきているのではないだろうか」という根源的ともいえる問題提起である。そして、最近の図書館は施設のみに重点がおかれ、「委託によって本を知らない図書館員が増え、ベストセラー中心の蔵書構成になり、貸出マシンと化す図書館労働では無人の図書館ができても理屈としてはおかしくない。こういったセブン・イレブン的図書館は本当に図書館と言えるのだろうか」と、問う。しかしこのような問いはまた、「図書館サービスの内容とか質とかをことばで言うのはたやすい。しかし、日々の現場での労働の中にそれが体現されていかなければ、何も言ったことにはならない」と自問自答的な堂々巡りに陥っていく。いわば、答えのない問いを発したことにより埴谷雄高的自同律の不快に嵌ったといえようか。

とはいえ、「図基法」の国会上程阻止が実現したのは、図書館という職能団体の大衆運動としては

「勝利」であった。本来なら具体的な獲得目標を達成した時点でとりあえず「反対する会」は解散するべきだったかもしれない。だが、先に記したように「図基法状況」と捉えるならば、図書館を巡る状況は、元に戻ったわけではなく、より混迷を深めて行くように見える。

そもそも、どう考えても一部の図書館関係者が反対したからといって、予定していた法律（案）が簡単に立ち消えになるとは思えない。ただ現実問題として、検討委員会に参加した推進派の論者も危惧していたように、縦割り行政のなかで、図書館政策委員会を内閣府に置くということが可能なのか。つまり、図書館行政の所管官庁である文部省を越えた図書館政策を展望した図基法を当の文部省が了解するのか。

「反対する会」もそのあたりはある程度疑っていて、「反対する会ニュース」第一一号（一九八四年二月六日）にも、中曽根康弘首相の「教育臨調」が総理府に設置されたという新聞記事（読売新聞、一九八四年二月五日付）を載せ、総理府と文部省との教育行政における主導権争いに触れている。

〈七〉二〇年後の栗原証言

このあたりの具体的な経緯と真相については、当時も現在も藪の中という感が強いが、それから二〇年後、当時の日図協事務局長で、検討委員会のまとめ役であった栗原均がその一端を語っている（前掲「ロングインタビュー　異色の図書館人栗原均）【図2-5】。

栗原 均
異色の図書館人。
関西の現場から図書館協会へ
経営的手腕を発揮
東條文規・堀 渡
氏家和正

図2-5

栗原によれば以下のようになる。

一九七八（昭和五三）年の超党派の図書議員連盟の発足が出発点。働きかけたのはたぶん、国立国会図書館の副館長の酒井悌《やすし》か総務部長の高橋徳太郎。国会図書館は創立三〇周年（一九七八年）にあたり、全国的に図書館の機能と運動を国会議員に理解してもらい、支援を得たいという思惑があった。岸田實館長の理解もあって、一九八〇（昭和五五）年の鹿児島県での全国図書館大会における有馬元治図書議員連盟事務局長の「図書館振興の議員立法をつくろう」という祝辞になる。

なぜ議員立法かといえば、国会図書館は議会。大学図書館は文部省の中でも大学局図書館情報課。公共図書館は社会教育課。学校図書館は初等中等教育局の小学課。専門図書館はそれぞれの関係省庁や団体・企業に属している。図書館事業の振興のためには、これらバラバラの図書館所管の国の体制を総合的に一元化できないかと考えたのだろう。

一九七八（昭和五三）年に大阪から出てきたばかりの栗原にはまた、こんな成功体験もあった。

当時、文部省の国庫補助金も公民館振興には九〇億円、図書館振興には五、六億円。日図協事務局長になったばかりの栗原は、その不満を高橋に言い、高橋は図書議員連盟理事長の亀岡高夫を紹介、亀岡に話をすると、翌年の予算が五億から一〇何億になった。亀岡は井内慶次郎（約三〇年前図書館法の原文を起草した文部官僚で当時文部事務次官）に栗原の言を伝えた。その井内の計らいで一挙に倍増した。つまり館長の司書資格条件を満たした新設図書館への補助で毎年、補助金は増えて行ったのは先に記した（前掲注2参照）。

加えてこの時期、各館種の全国組織がやっと出揃ってきた。検討委員会に名を連ねた一一団体。上の役所はそれぞれ異なるが、その縦割りの役所の違いを越えて、図書館の立場で横に連ねる、連携の幅を広げられないか、つまり合従連衡を考えた。行政の管理と支配とは別に、図書館は横で繋がろう。その図書館事業基本法の政策プランを中心になってつくったのは、公共図書館では都立中央図書館長の奥野定通。奥野は美濃部知事によばれて行政管理庁の統計局から来た人物。国会図書館の高橋総務部長に協力する立場の金村繁図書館協力課長、それと全国学校図書館協議会（ＳＬＡ）の佐野友彦事務局長。佐野にはこの機会に学校図書館法改正という思惑もあった。

日図協では、栗原が検討委員会の議論をその都度理事会で報告していたが、大っぴらな反対は出なかった。清水正三、浪江虔、森耕一も反対はしなかった。といっても、日図協内部の雰囲気としては、出来ればいいけど、そんなにうまくいくかな、という感じで、自分が苦労してでも実現しようという人はいなかった。個々バラバラで、自分の館種、または自館で精一杯の図書館界が、図書館全体の振興策をまとめて、文部省なり国の支援機関に持っていく力はない。持っていっても誰も相手にしない。結局それが出来るのは議員立法しかない。国会議員の力を借りなければならない。学校図書館法は議員立法で出来た（注3）。

（注3）栗原が言うように学校図書館法は確かに議員立法で一九五三（昭和二八）年四月に成立した。この成立の背後には全国学校図書館協議会（ＳＬＡ）の学校図書館整備に向けての全国的な請願署名運動があり、父兄や街頭で集めた署名は半年で九二万五〇〇〇余。トラック一台分にも上ったという。一方、議員立法であることから文部省の協力はほとんど得られず、法成立後も不幸な扱いを受け続けたことは周知の事実である（『近代日本図書館の歩み　本篇』日本図書館協会、一九九三年、『学校図書館50年史』全国学校図書館協議会、二〇〇四年）。☆

栗原は立場上、積極的な発言は避けていたが、文部省の中に出版情報と公共図書館の振興を一緒に考える図書館課をつくりたいと思っていた。一九八四（昭和五九）年に、公共図書館は文部省の学習情報課の図書館振興係の所管になったが、図書館振興係が後に発展して、日本全国の図書館充実の基盤づくりを所管する。学習情報課が図書館振興課になるよう願っていた。実際、栗原は、日図協の「図書館事業の振興方策について」（第一次案報告）に関する合同役員会（一九八一年一二月一一日）で、国全体の図書館振興を全面的に発展させるために、国の機関を設置すべきである、というユネスコの勧告を引いて、「図書館省、あるいは図書館庁に準じる」機関の設置という大風呂敷、ある意味では壮大な夢を語っている（『図書館雑誌』第七六巻第二号、一九八二年二月号）。

同じ頃文部省は、大学図書館を中心に学術情報システムを目指していた。だから最初に脱落したのが大学、それも国立大学図書館協議会。要するに文部省と国会図書館のどちらが日本における図書館全体の組織的な運営の牽引車となるか、主導権を握るかのせめぎあいのなかで、図基法は潰れた。

以後、日図協内の図書館政策特別委員会（委員長森耕一、当時滋賀県立図書館長の前川恒雄以外、委員の多くは関西の日本図書館研究会の中心メンバー）は、公共図書館の「任務と目標」の作成を目指すに至る。ただ、栗原によれば、当初は公共図書館だけでなく、政策としては全館種を考えていたが、大学は文部省の学術情報システムとの関係で無理と分かり、公共だけを対象にしたものになる。

このあたりの総括を日本図書館協会は、先にも記したように「検討してきた側の考え方は、国の全く無関心な図書館行政を改めさせ、国をあげての図書館振興をはからせることはできないか、というのがその趣旨ではあったが、戦前の苦い経験を知っている多くの図書館員にとっては、いつか来た道という印象を拭うことはできなかったのである」。そして「このことによって図書館界は図書館の振興が遅れているのは、国に政策がないから、というわけにはいかなくなった」と記している（『近代日本図書館の歩み　本編』日本図書館協会、一九九三年）。

じっさい、先の『ず・ぼん』の座談会でも氏家和正（元日図協事務局）は、左翼（新左翼も含めて）が反対しているのは見えていたが、「結局なんでつぶれたかわからなかった」と言っている。「羹に懲りて膾を吹く」の類だが、議員立法での全館種共通の図書館振興法では、たとえ成立したとしても「生涯学習振興法」、「子どもの読書活動の推進に関する法律」、「文字・活字文化振興法」のようないわば抽象的で努力目標的な中身になるしかなかったであろう。それでも、「ないよりまし」と言えるかもしれないが、いずれにしても、政治力学の世界で自己実現を図るには図書館界は初心《うぶ》過ぎたといえる。少なくともスポーツ界のように、図書館界出身の国会議員の一人や二人を抱えるぐらいの力量を持ってから来い、ということかもしれない。

〈八〉その後の「反対する会」の活動は？

先にも記したようにかくて、図書館事業基本法（案）は大山鳴動して鼠一匹というかたちで立ち消えになるのだが、「反対する会」はそうは考えなかった。『反対する会ニュース』は三ヶ月に一回ほどの不定期刊ながら一九八六（昭和六一）年一一月の第一九号まで継続する。

記事の中身は、広島県立図書館の部落問題にかかわる「図書廃棄」事件や、日図協の図書選定事業、コンピュータ問題、大阪大学附属図書館臨時職員の不当解雇問題、学術情報システム批判やＩＳＢＮ批判等、編集部がいう多岐にわたる「図基法状況」問題から日図協図書館政策特別委員会が取り組み始めた「公立図書館の任務と目標」批判へと移っていく。

具体的には、『図書館雑誌』（一九八五年四月号）に掲載された「任務と目標」第一次案に意見書を提出する。その骨子は、公共図書館を一括的に捉えた「任務と目標」案に対して、地域図書館の個性と図書館労働者の地域に根差した図書館サービスの提唱、機械的な専門職論に対する批判などである。

が、抽象論の感は否めない（『反対する会ニュース』第一六号、一九八五年五月二三日）。

続く『反対する会ニュース』第一七号（一九八五年八月五日）では、会の主要メンバーと日図協図書館政策特別委員会委員長の森耕一との会談の報告を寄せている。見出しには「〝ひとまず安心〟とは言いきれない」としながらも、森が「図書館事業基本法」（案）に批判的な視点を持ち、安易な立法化に反対の立場を表明していること、「任務と目標」（案）についても、「反対する会」の疑問に丁寧に応えているので、一応納得できた様子が窺える。ただ、根本的な疑問として「反対する会」は次の三点を挙げている。①何故、今、早急に基準数値を決めるのか？　②公立図書館の理念・役割を何故、先に根源的に追求しないのか？　③良き機能を果たす職員やコンピュータはそれだけで善なのか？

このような問いは確かに、根源的ではあるが、日図協の「任務と目標」の中で追求すべき問題とは思えない。それこそ「反対する会」が当初に主張したように、それぞれの図書館現場で、日々の利用者との関係のなかで追求されるべき問いのはずである。

翌一九八六（昭和六一）年四月号の『図書館雑誌』に「公立図書館の任務と目標（第二次案）」が発表される。「反対する会」は、この第二次案に対して、評価と批判とが相半ばするかなり長文の論考を載せる。

「任務と目標」が現状の図書館の発展と情報化社会への未来を一応前提にして、図書館をシステム、ネットワークとして把握し、図書館とは全体として有効に資料を流通させる機能だ、という図書館観に立って、論を展開しているのに対し、「反対する会」は、「地域分権としての公共図書館」を主張する。

「私達は改めて、図書館はまず単独で、それ自体の中に魅力を秘めた存在になるべきであり、個々の運営方針の定立や収書の充実、対応能力の伸長、調査や協力の蓄積が計《(ママ)》られるべきだと考える。基本にあるのは、住民との相互関係の中での地域図書館の充実・発展であり、役割分担論の強調、資料の効率性の強調は、個々の図書館の魅力ある成長をそこなう危険を感じてしまう」。「また、個々の図書館の自立とは、自前の図書館政策の能力であり、対外的な関係を結ぶ問題意識と力量の蓄積ということでもある。（中略）県立の援助の強調が自治体図書館間の相互協力への志向と成長をそこなってはいないか」（「『公立図書館の任務と目標・第二次案』への批判」『反対する会ニュース』第一八号、一九八六年八月五日）。

そして、「任務と目標」には、「資料提供」以外の図書館事業のふくらみが薄いと思えると言い、「蔵書の充実・提供を軸としながら、公共図書館の理念と社会状況の交錯するところで、地域・住民に提示するどんな公共図書館イメージを考えるか」と、自問的に問う。さらに、「高度情報化社会」、「科学技術立国」が謳われている中で「情報流通の体制云々を言うのでなく、公共図書館としては「読書」行為への敬意やふくらみが感じられるような、個々の図書館が輝けるような図書館論が必要ではないか」と主張する。

極めて文学的、ロマン的な発想ではある。だが具体的な図書館の基準を求める「任務と目標」の対案にはならない。もちろん、「反対する会」もそのことは百も承知の上での批判ではある。とはいえ、三〇数年前にはまだ、このような図書館の「夢」を語り合う余地があった、ということだけは確認しておきたい。

同じ号で、「IFLAの夏・「反対する会」活動再検討の夏」と題して、今後は「反対する会は存続するが、図基法状況とでも言い得るコンピュータオンラインシステムなどに対して、現場からの反撃を行うため、反対する会結成時の主体である、かつ、図書館現場からの活動を目差している図書館労働者交流会に参加し、広範な図書館労働者とともに活動していく」として、事実上の「反対する会」としての解散宣言をする。

『反対する会ニュース』最終号（一九号）の発行は一九八六（昭和六一）年一一月一五日。中身は、日図協が開いた「任務と目標」の検討集会が二〇名足らずの参加で予想外に低調であったとの報告。他に、IFLA東京大会での抗議行動報告。学術情報システム批判、集会案内等が並び、このニュースは『図労交ニュース』に引き継がれることを提示している。

〈九〉図書館労働者交流会―反コンピュータ

図書館労働者交流会（以下「図労交」と略記）は、一九八一（昭和五六）年六月一〇日、コンピュータ問題に取り組んでいる東京の荒川、練馬、渋谷、それに横浜等の図書館員が東京都港区役所で開いたのを嚆矢とする。以後、何度かの会合を重ね、一〇月二九日～三一日の一九八一（昭和五六）年度全

図書館は
〝国民管理〟の手先となるな！
1981.10.30集会報告
「図書館は〝国民管理〟の手先となるな！」
集会実行委員会
図2-6

国図書館大会埼玉大会の会場で「図書館は〝国民管理〟の手先となるな！―図書館労働とコンピュータ―集会」という情宣ビラを配布するとともに、各分科会に積極的に参加し、テーマ毎に問題提起を行う。中日の三〇日の夜には上記ビラと同趣旨の独自集会を開いた。参加者は九〇人。実行委員会挨拶で、木下究（立川市図書館）は「今後ますます国家の思想管理の道具として位置づけられようとしている図書館において、一つの運動の流れを作りだそうではないか、その第一歩として集会を持とうじゃないか、ということになりました」と述べている（「図書館は〝国民管理〟の手先となるな！」集会実行委員会編『図書館は〝国民管理〟の手先となるな！―一九八一・一〇・三〇集会報告』図書館労働者交流会、一九八二）【図2-6】。

その中身は、「三全総と図書館全国計画」や「図書館事業基本法」問題も論じられているが、メインの講演が剣持一巳「図書館労働とコンピュータ」であるように、日本図書コード、ISBN、JAPAN・MARC、コンピュータ合理化問題等が中心であった（注4）。

（注4）出版界や図書館界が一部とはいえ、いわゆる文化人も含め、なぜ日本図書コード、ISBN導入問題に極めて敏感かつ強行に反対したのか、その経緯については、湯浅俊彦『出版流通合理化構想の検証―ISBN導入の歴史的意義―』（ポット出版、二〇〇五年）と同じく湯浅俊彦『日本の出版流通に

おける書誌情報・物流情報のデジタル化とその歴史的意義』（ポット出版、二〇〇七年）を参照。湯浅の研究は、当時の雑誌記事や反対派の情宣ビラを読み解き、当事者へのインタビューも含め、詳細なものになっている。私も当時、反対派の周辺にいたが、地方の小規模な文科系大学図書館勤務では日本図書コードやＩＳＢＮが自分の仕事と具体的にどう関係するのか、よくわからなかった。でも、二頁以上の出版物すべてに番号をつける「本の総背番号制」なんて言われたら、「ほんとにそんなことが可能か」と思いつつも、「検閲」が浮かび、とりあえずは反対しておこう、というぐらいの認識だった。湯浅の後者の著書に胸永等（当時、図書館を考える会）と石塚栄二（当時、日本図書館協会図書館の自由委員会）のインタビューが載っているが、当時（現在も）の私の思いは同じインタビューの井上ひさしの「便利だからやっちゃおうという、そういうのっぺらぼうな、ただ流れるだけの世の中ではまずいので必ず反対する人が必要なんです」。「だいたいこれ以上進歩しない方がいいじゃないかということなんですよ」に近い。☆

このような昼の全国図書館大会への情宣、介入による問題提起、その後の夜の独自集会という運動形態は翌年（一九八二年）の福井大会、一九八三（昭和五八）年の山口大会、一九八四（昭和五九）年の大阪大会へと継続されていく。さらにその後も第五章で触れるように、関西の「学術情報システムを考える会」、「図書館を考える会」と共催で「現場からの反撃集会」と称して毎年開催されていった。

図書館大会の情宣と夜の集会の「成功」に勢いを得て、一九八一（昭和五六）年一一月二〇日に渋谷区役所で約四〇名の参加者を集め「図書館労働者交流会」を正式に発足させる。当日の議論は、図書館事業基本法(案)に集中し、運動の焦点をより鮮明、かつ強固にするために、図労交とは別に「図書館事業基本法に反対する会」の組織化を目指した。そして先に記した一九八二(昭和五七)年四月二三日の東京の総評会館での結成大会へと至る。つまり、前記「図書館事業基本法に反対する会」はこの図書館労働者交流会を母体として生まれたのである。したがって、メンバーの多く、特に関東地区の図書館員は二つの会に属していたのである。

先に見たように「反対する会」は概ね図書館事業基本法に焦点を絞っての活動を展開していたが、一方、図労交は、月一回の定例会と手書きの機関紙『図労交ニュース』(ほぼ月刊)の発行を継続しながら、図書館現場での労働問題、なかでもコンピュータ問題に学習会と運動の力点を置いていく。

各々の図書館現場での反コンピュータ闘争を踏まえて一九八三(昭和五八)年三月には、コンピュータ問題準備会(その後コンピュータ小委員会)を創設。図労交とは別に月一回の学習会を持ち、「コンピュータ化によって図書館労働者はどうなるか」、「コンピュータをテコにして図書館政策が変わりつつある」、「図書館はどうあるべきなのか」を議論しつつ、今後の調査・研究の必要性を確認する。

約一年半後のコンピュータ小委員会の報告によれば、図書館のコンピュータ化は図書館労働の変質をもたらすのみならず、図書館そのものの根幹を変えてしまうという。だから、運動としても「人員削減、労働強化をもたらすから反対!」では済まない。その部分は、民間企業やボランティアに転嫁すればよい、という安易な発想に繋がる。また、コンピュータ導入の目的とされるオンラインネットワークによる利用者サービスの向上ということも疑う必要がある、という。ただ、自分たちもそれに対抗する「明確な〈図書館像〉を見出せずにいる」、と率直に記している（『図書館労働者交流会一九八三・一一〜一九八四・一〇』一九八四年一一月八日）。

ところで現在から見るとなぜ、図書館員がこんなにもコンピュータ導入に反対したのか不思議に思えるかもしれない。だが、一九七〇年代半ばから一九八〇年代半ばの約一〇年間は、自治体労働者を中心としたコンピュータ合理化反対闘争がある程度大衆的な規模で闘われた時代であった。この手書きの『図労交ニュース』は一九八四年末には四〇〇部を発行し、送付先は二三四人であった（前記『図書館労働者交流会一九八三・一一〜一九八四・一〇』）。少なくとも当時、これぐらいの人数の図書館労働者がこの運動の周辺にいたし、「コンピュータ反対」と言っても、それほど奇異な目で見られることもなかった。

もちろん、コンピュータ礼賛や、コンピュートピアというバラ色の未来を描く広告は氾濫し、同じ趣旨の書物や雑誌などは街の書店に溢れていた。だが一方では、この風潮に批判的な視点で問題点を指摘し、疑問を呈する本も少なからず出版されていた。

たとえば、津川敬、鈴木茂治『くたばれコンピュートピア!

図2-7

図2-8

―労働現場のシステム化と国民総背番号制―』（柘植書房、一九七六年）【図2-7】、労働運動研究所編著『コンピュータ合理化と労働運動』（三一書房、一九八〇年）、技術と人間編集部編『増補改訂版コンピュータ化社会と人間―人間にとって、社会にとって、コンピュータとは何か―』（技術と人間、一九八〇年）、竹田義則『誤算―コンピュータ社会の恐怖―』（日本工業新聞社、一九八〇年）【図2-8】、渡海伸、津川敬『コンピュータの急所』（三一新書、一九八三年）等々。コンピュータに反対や批判的立場で執筆された書物は多数出ていた。

その中身は、本のタイトルでも分かるように「人間性の喪失」や国民総背番号制、プライバシー問題、合理化、独占資本との癒着等、多岐にわたるが総じて言えば、急速な技術革新の変化に対する恐怖、と言えるかもしれない。運動の中心は自治体労働者だが、彼（女）らの多くが加盟する全日本自治団体労働組合（自治労）は実は、「コンピュータ絶対反対」という立場ではなかった。

すでに一九七〇（昭和四五）年の自治労のコンピュータ闘争方針は、「地方自治を破壊し、中央統制強化のための自治省とのオンライン直結には絶対反対の態度を堅持し、定数削減、労働強化、職業病、賃下げと闘ってゆく」というものであった（津川敬、鈴木茂治『くたばれコンピュートピア！―労働現場のシステム化と国民総背番号制―』柘植書房、一九七六年）。この方針は同年、全国電気通信労働組合（全電通）が提起した「情報化三原則」と呼応することによってさらに骨抜きにされ、自治労方針の主流を占めることになる。「情報化三原則」とは、

①平和利用と国民生活の向上に寄与すること。

②情報の社会性を維持拡大し、民主的管理により民主化を促進し、人間疎外を克服すること。
③プライバシーの保護すなわち基本的人権が完全に保障されること。

この三点が守られれば、さまざまなシステムは早急に開発利用すべきだ、という（労働運動研究所編著『コンピュータ合理化と労働運動』三一書房、一九八〇）。が、このような抽象的な理念では実質的にはほぼ無条件にコンピュータ推進と言える。

事実、現場へのコンピュータ導入は急速に進展していく。従来の労働組合の反合理化闘争の枠内では到底阻止できるものではない。労働強化に対しては、アルバイトや外部委託、ボランティア等、未組織労働者を使えばよい。何より、大量貸出しを軸にする利用者サービスの向上にはコンピュータは有効に違いない。今は、高価で使い難いかも知れないが、技術の進歩には限りがない。「絶対反対」はラダイト運動（産業革命期英国の機械打ちこわし運動）と同じでマルクスもダメだと言っている。

このような現場での実務レベルの「便利さ」への期待に対抗できるだけの質を持った反コンピュータの闘いを継続することは難しい。そしてまた、「中小レポート」、『市民の図書館』に対置できるだけの新しい図書館理論も打ち出せていない。

そのような中で図労交の運動は、年一回の全国図書館大会への介入・情宣活動と夜の独自の全国集会、一九八五（昭和六〇）年から議論されていた国家秘密法、一九八六（昭和六一）年の国際図書館連盟（IFLA）東京大会への皇太子（現上皇）夫妻招聘抗議行動、富山県立図書館の昭和天皇図録の閲覧禁止事件（一九八六年）、個別労働問題（矢崎闘争、内藤闘争等）支援活動へと分散していった。とはいえ『図労交ニュース』は不定期ながら一九八八（昭和六三）年七月の第四七号ぐらいまでは継続していたが、その後自然消滅のような形で消えていった（注5）。

（注5）『図労交ニュース』の発行所は役員の所属図書館が持ち回りで引き受けていたようだが、一九九八年七月の最終号の頃は、東京都品川区立品川図書館内　古里兌夫気付。☆

第三章

学術情報システムとはなにか

〈二〉文部省主導の下で

図書館事業基本法構想が早々と破綻する一方、文部省主導の学術情報システム構想は急速に進展していく。

それは以下のような経過を辿る。一九八〇年（昭和五五）年一月、学術審議会は文部大臣谷垣専一に、「今後における学術情報システムの在り方について」（『学術月報』第三二巻第一一号、一九八〇年二月号所収、以下「答申」と略記）を答申する。

Vol. 1, No. 1, 1980・5・6
大学図書館協力ニュース

創刊にあたって

国公私立大学図書館協力委員会
委員長 横越英一

ここに「大学図書館協力ニュース」第1号をお届けします。これは国・公・私立大学図書館間の最初の協力の生みだしたみどり児である。これがすこやかに成長し、それが媒体となって、協力の分野がしだいに拡大して行くことを祈らざるをえない。

図書館間の協力の必要性が叫ばれてから久しい。とくに最近のように、書籍や学術誌が洪水のように溢れてくるとき、分担収集、情報伝達、貸出しという協力のネットワークの必要性はきわめて増大してきている。しかし、それは決して容易な道ではない。図書館には、大学図書館、公共図書館、専門図書館など、その種類が多く、その組織もさまざまである。比較的性質をおなじくする大学図書館においても、その組織、歴史、体質を異にするに応じて、そのニーズも異ならざるをえない。それらの大学図書館相互の交流において、等価交換は成立しにくい。そこには協力の実現を困難にするさまざまな隘路が存在する。しかし、私たちはそれを理由として後退すべきではない。むしろ積極的にその隘路を明らかにし、それを克服する方法を模索すべき段階にきている、といえよう。

こうした状況を反映して、昨年11月漸く国・公・私立大学図書館協力委員会が発足することとなった。この委員会は、それぞれの母体たる協議会の推薦をうけた国立3館、公立2館、私立3館の委員によって構成されている。この委員会は協力のあり方を検索するものであって、それらをどのように具体的に実現するかは、全くそれぞれの母体たる協議会の決定による。委員会としては、これらの協議会が主体的に判断し、行動するための基礎資料を提供できたらと考えているわけである。

委員会の設立趣意書は、その課題として、相互利用とくに文献複写、図書館資料の交換、共同利用図書館、電算機による学術情報とくに書誌情報ネットワーク、職員の研修・交流などについての協力の推進を掲げている。しかし、もとよりこれらは将来の目標であって、さしあたり委員会としては、実施可能なところから地道な努力をつみ重ねなければならない。そのために、さしあたり下部機関として設置されたのが、機関誌編集委員会と文献複写に関する委員会であり、前者は関東地区、後者は関西地区を中心として編成されている。

この「大学図書館協力ニュース」は、編集委員会によって、協力委員会の機関誌として刊行されるものである。この種の機関誌としては、すでに国・公立大学図書館協議会が母体となって刊行している「大学図書館研究」がある。それが大体年2回程度の刊行で、論文を中心とするのにたいして、この「ニュース」は、隔月刊とし、ニュース的な記事を中心に編集される。

協力の前提は、相互理解である。この「ニュース」は、情報化時代において、科学的情報の媒介機関たる大学図書館が、自らについての情報交換の場としてつくられたものである。私たちとしては、この「ニュース」が、大学図書館の協力の方向への推進手段となることを願うものであるが、それを支えるものは、何よりも各大学図書館である。私たちとしては、ニュースの提供と購読という回路上での協力を、これらの図書館にお願いしたい。この機関誌の発展が、おそらく大学図書館のお役にたつと考えるが、そのためには各地から豊富なニュースが送られるとともに、基金をもたないこの委員会を支えるために、ぜひ継続的な購入をお願いしたい次第である。

図3-1

この「答申」は、近年の学術情報の急激な増大とその利用の必要性に対応するために、早急に一元的な学術情報流通体制を整備しなければならない、という現状認識を前提とする。その上で、従来大学図書館が個別的に収集してきた一次情報を体系的、効率的に収集するために拠点図書館を決め、資源共有の考え方を基調として二次情報検索システムを整備する。そのためには既に国立大学に設置された全国共同利用機関としての大型計算機センターを中心としたコンピュータネットワークの整備を推進する、というものであった。

この学術情報システム構想は「答申」でも触れられているように、学術審議会が一九七三（昭和四八）年一〇月に「学術振興に関する当面の基本的施策について」という答申を行なっていたことに基づく。文部省はこの答申の趣旨に沿い、特に学術情報システム化については、科学研究費補助金（特定研究）に基づき、いくつかの顕著な成果も得ていたし、このような動きはそれより以前から、大学図書館の機械化（電算化）として始められていた。一九七一（昭和四六）年に大規模大学として大阪大学、翌一九七二（昭和四七）年に小規模大学として群馬大学、一九七三（昭和四八）年に中規模大学として東京工業大学に電算機を導入。文部省は以後、毎年二大学ずつ予算化して電算化を進めていた。だが、この電算化は個々の大学図書館での受入、貸出、雑誌管理等が主なものだった。

同時に文部省は、学術文献量の加速度的な増大に対処するため、各個別大学の資料費増額要求に対し、分担収集、相互利用の名のもとに条件付き重点配分を行った。図書館の電算化と予算の条件付き重点配分は、学術情報システム形成へ向けた基盤整備であった。たしかに当時、国立大学図書館は、「大学の自治」＝「学部自治」の名の下に、各学部図書館や研究室に資料は分散、重複し、総合目録もほとんど整備されておらず、利用者、とくに学生には使いにくいものだったし、近代化、合理化の必要性は叫ばれていた。

だから、先の「答申」の最初に文部省学術国際局情報図書館課は、昨年（一九七九年）六月の「中間報告」に対する国公私立大学図書館からの八二件の意見のなかに『学術情報システム』構想に対する反対意見は皆無であ」り、「さらに、多くの意見はこの構想を積極的に評価し、早期実現を期待するものであった」と自信を持って記していた。

一九七九（昭和五四）年一一月には国公私立大学図書館協力委員会が結成され、「答申」が出た同じ一九八〇（昭和五五）年五月には、その機関誌『大学図書館協力ニュース』（隔月刊）【図3-1】も発行された。この委員会の目的は、「相互利用とくに文献複写、図書館資料の交換、共同利用図書館、電算機による学術情報とくに書誌情報ネットワーク、職員の研修・交流などについての協力の推進」などであるが当面は、機関誌編集委員会と文献複写に関する委員会が設置された（『大学図書館協力ニュース』第一巻第一号、一九八〇年五月）。

同じ創刊号で、文部省学術国際局情報図書館課長遠山敦子は、学術情報システム構想を「大学図書館のあり方、改善方向を大きく示唆するもの」といい、「全国の大学図書館は、学内の情報センターの役割をもつばかりでなく、全国的ネットワークを通して一つのコミュニティを形成することになる」とその方向性を示した。

以後、国公私立を問わず、大学図書館関係の研究集会や大会でのテーマは「学術情報システム」一色になっていく。ただ、未だ多くの図書館にとっては具体的なイメージは画けず、とりあえず電算化が急務で、学術情報システムの問題は多分に電算化の問題として捉えられていた。

〈二〉淵源は戦前から

ところで、この学術情報システムの淵源は遠く、戦時下にまで遡る。日本軍がガタルカナル島を撤退し始める一九四三（昭和一八）年二月、当時の日本図書館協会が代議士に働きかけて政府に「図書館ノ戦時体制確立ニ関スル建議」（『図書館雑誌』第三七年第三号、一九四三年三月）【図3-2】を提出する。その骨子は、（一）政府に学術図書局を設ける。（二）資料の収集・保管の分担を国家が決める。（三）その総合目録をつくる。（四）相互貸借制度を確立する。（五）学者・研究者を専門別に組織し、彼らの利用の便宜を図る、というものだった。まさに、図書館もまた、科学技術総力戦体制のなかで、国家の下での一元的支配と徹底した合理化を構想していた（注1）。

（注1）戦時下での研究体制の合理化については主に山之内靖『総力戦体制』（ちくま学芸文庫、二〇一五年）、山本義隆『近代日本一五〇年―科学技術総力戦体制の破綻』（岩波新書、二〇一八年）参照。☆

さらに戦後は、一九七三（昭和四八）年一〇月の学術審議会の先の答申（「学術振興に関する当面の基本的施策について」）より以前の一九六五（昭和四〇）年一二月一六日に日本学術会議が会長朝永振一郎名で内閣総理大臣佐藤栄作宛の勧告「科学研究計画第一次五か年計画について」が極めて具体的に学術情報システム構想を描いていた。

その勧告では、大学図書館の近代化と大型コンピュータを駆使した「全国協力の体制のもとに学術情報組織の確立をはかるべき」であるとして、以下の三点を挙げている。（一）地区別学術情報センターの設置。（二）専門分野学術情報センターの設置。（三）先の（一）と（二）に大学図書館を加えた全国学術情報センター連合をもつこと。

この連合の機能として（一）全国的な集書計画の総合調整、（二）目録作成業務（全国へ配布）、（三）全国的な保存計画及び実施、（四）司書及びドキュメンタリストの養成計画の樹立、（五）学術情報の国際連絡と国際協力、が挙げられている。連合の中央機構には、一〇〇名の要員からなる中央学術センターが考えられていたという（岩猿敏生『日本図書館学の奔流　岩猿敏生著作集』日本図書館研究会　二〇一

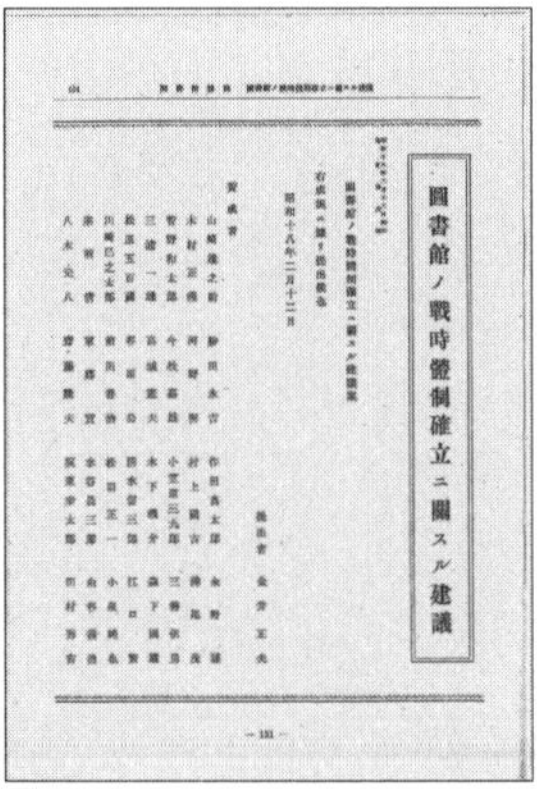
圖書館ノ戰時體制確立ニ關スル建議

昭和十八年二月十二日

賛成者

図3-2

八年）。

そして、とくに「大学図書館の近代化と学術情報組織の確立」の重要性を指摘して以下のように警告を発している。

「来るべき五カ年において、これらの方面において、画期的な措置をとることが緊要であり、現状の惰性のままで、推移するならば、一九七〇年代においては、わが国は、これら学術研究において、致命的なハンディキャップをもつに至るであろうし、特にわが国の科学研究推進のためにふさわしい学術情報連絡を欠くため、著しく効率を下げるという恐れが生じる」（「科学研究計画第一次五か年計画について・勧告」日本学術会議ＨＰ所収）。

総理大臣の諮問機関である科学技術会議が「科学技術情報の流通に関する基本的方策について」（答申）で「科学技術情報の全国的流通システム」いわゆるＮＩＳＴ（National Information System and Technology）構想を明らかにするのは一九六九（昭和四四）年三月である。（注２）

（注２）一九八〇年一月の学術審議会答申以前の学術情報システム構想については岩猿敏生「戦後のわが国における学術情報流通体制の問題」『芸亭』No.12・一九七二・八、岩猿敏生『日本図書館学の奔流　岩猿敏生著作集』（日本図書館研究会、二〇一八年）所収が詳しい。☆

以上のように見てくれば当時、「大学図書館の近代化と学術情報組織の確立」が一向に進まない現実に政府も文部省も相当な焦りと大学図書館（員）に対する不満が鬱積していたのは確かである。

〈三〉居丈高な田保橋彬講演

そんななかで、一九八一（昭和五六）年一〇月二九日〜三一日まで埼玉県浦和市で開催された第六七回全国図書館大会の第五分科会「学術情報システムと大学図書館」での文部省学術国際局情報図書館課長田保橋彬の講演は、文部省が当面、大学図書館に何を期待しているか。より正確には、大学図書館を具体的にどう「改革」＝「支配」したいのかが明確な言葉として表明されたものであった。講演は冒頭から刺激的である。以下、概要を記す。

私（田保橋）は昨年まで四年間共通一次入試の担当だったがあまり議論なくスムーズに実行できた。ところが、情報図書館課長に就任後、大学図書館関係者と話し合うと、「総論賛成、各論反対」でなかなか前に進まない。私どもの課で大学図書館に関する仕事は四分の一程度、それを係長以下一名、つまり二名で担当している。要するに多忙のなかで、今から学術情報システムについて説明するから手元の『学術情報システム』というパンフレットをよく見て欲しい、という。

その中身は、これまでの経過と今後の方向性。経過については、昭和三〇年頃までは大学の整備で忙しく大学図書館まで手が回らなかったが、研究者の要望に応じて、この一〇年ほどは機械化に力を入れている。ただ、現場の図書館はそれほど積極的ではない。

でも、それでは「研究者・学生＝ユーザーは黙っていない」。私は、文部大臣の諮問機関である学術審議会の「当面における学術振興の基本政策」（昭和四八年答申）、「今後における学術情報システムの在り方」（昭和五五年答申）の答申の線に沿って具体的な検討を開始した、という。

その方向性については、現在（当時）の大学図書館の問題点を極めて具体的に指摘し、かつ現状のコンピュータの性能水準を踏まえた徹底した大学図書館の合理化を提唱する。たとえば、一次情報の体系的網羅的な収集については、理工学は東京工業大学、医学は大阪大学中之島分館と東北大学、九州大学の医学部。農学は東京大学農学部と鹿児島大学農学部を拠点とする。データベース化、目録所在情報の形成と検索のための書誌情報の標準化、それの入力作業等の必要性や大枠ではあるが具体的な数字を挙げ、米国の例を出し、学術情報システムの必要性を説いていく。機械化に対する嫌悪感の多い人文・社会科学分野にも言及し、ここでは研究者の意識改革の必要性を説く。さらに産業界へのアクセスにも言及する。

と同時に大学図書館（員）に対する批判も辛辣である。「せっかく今まで気楽に図書館員として暮らしてきたのに、もうこの年になって電算化なんて嫌だ、私が死んでからやってくれ、という話は多分にあるが、死んでからでは遅い、という問題もある」。

秋葉原の電気屋にはパソコン好きの小学生が群がっている例を挙げ、「電算化をやるのなら、図書館員をやめて、小学生のアルバイトを雇った方が良いのではないか、という笑い話をする人さえいる」。

図書館では、民間委託に相当抵抗があるらしいが、「今後の経営方法からすると、質的に高い外注システム、民間委託システムであれば、図書館長ひとり以外、あと全部委託でもかまわない、という論さえ起こる訳である」。

子育て後の女性の社会進出が増えている例も挙げ、「パートタイムの使い方の問題、それから民間委託の問題等については、ただ忌避するだけではなく、その効果というものも充分に考えながら、これは導入していかなければならないだろうと思う」等々。

おそらく、労働組合を念頭に置いての発言であろうが、厳しいというより威嚇的でかつ挑発的である。さらに当時のコンピュータの容量の限界にもよるが、極めて差別的でもあった。たとえば、入力対象文献の取捨選択、過去のデータの蓄積年限、学生用の小説類や娯楽用図書を入力対象にするのか。少数言語の図書の翻字化から始まって、端末の設置経費については、国立大学は国の予算内だが、公私立大学は任意で自己負担、短期大学は対象外等々。

いずれにしても「学術情報システムの効果という点については、先程来、何回も申しあげているように自明の事であって、研究者の先生方にとっては、巨大な量の情報の中から、求めようとするデータ、もしくは資料を的確に探し出し得るというものについては、このシステム以外に優るものはないのである」。そして、「五九年度の後半に、一部事業を開始したいという目途で進めていると考えている」と期限を明言し、「特定の図書館については、少なくともマイナス一年の五八年位から試行的に行いながら、実際上はプラス一年位から開始したらいかがなものかと考えている」という（『昭和五六

年度全国図書館大会記録　埼玉』昭和五六年度全国図書館大会実行委員会、一九八二年）（注3）。
五九年度とは、一九八四（昭和五九）年。この講演から三年後のことである。

（注3）図書議員連盟の一九八〇（昭和五五）年一一月五日の総会で田保橋彬は大学図書館を所掌する文部省学術国際局情報図書館課長として、大学図書館の概要を報告している。そのなかで、多様化している学術雑誌のなかで、①有用な学術雑誌を的確に研究者に提供する、②わが国の研究成果をいち早く国内外の研究者に知らせる、③原資料を早く研究者に当らせる。この3点の問題を解決するために学術情報センターシステムの一九八四（昭和五九）年後半からの事業開始を目指している、という（前掲『図書議員連盟会議要録（三）』）。この第三回総会は第一章で記したように日本図書館協会事務局長栗原均が国の総合的な図書館政策を陳情した同じ総会である。☆

〈四〉着々と進む学術情報システム

以後数年、この文部省主導の学術情報システム問題は、先の図書館事業基本法問題と相俟って図書館界を揺り動かしていくことになる。とはいえ、こちらの方は、大学内部の反対派はほぼ皆無であり、田保橋発言への感情的反発にしても、図書館現場の一部の組合関係の活動家ぐらいであり、大部分の図書館員は上司に表だって歯向かうことはまずあり得ない。なにより、大学では「絶対」の教員層が賛成している。

事実、国立大学図書館協議会は、田保橋発言より以前、そして例の図書館事業振興法（仮称）検討委員会から正式に脱退声明を発する以前の一九八一（昭和五六）年五月二五日付で、会長裏田武夫名の「学術情報システムの実現に関する要望について」という文書を文部大臣田中龍夫宛に提出している。中身は一、学術情報センターの設置。二、学術情報システムの基部組織としての大学図書館の整備。

この実現のために（一）、各館を構成単位とする地域的電算化ネットワークの形成を促進し、これに必要な人材の確保及び予算措置について十分に配慮すること。（二）、研究上重要でありながら、個々の研究者の研究費をもってしては購入しがたい高額資料等の購入に関し、大学図書館の収集力を助成するための予算措置をさらに拡大推進すること（「学術情報システムの実現に関する要望について」『大学図書館研究』第一九号、一九八一年一一月）。

翌一九八二（昭和五七）年六月七日にも「学術情報システムの早期実現について」要望書を文部大臣小川平二等関係機関に提出している（『図書館年鑑一九八三』日本図書館協会、一九八三年）。これ以降も毎年のように一九九三（平成五）年まで、学術情報システムがらみの要望書を文部大臣に提出、一九八七（昭和六二）年一〇月には大蔵省主計局にも提出している。この間の学術情報システム推進の経緯を年表的に見ておくと以下のようになる。

一九八三（昭和五八）年四月に東京大学情報図書館学研究センターは、東京大学文献情報センターに改組され、学内共同教育研究施設と位置付けられ、目録所在サービスを開始する。翌一九八四（昭和五九）年四月に、同センターが全国共同利用施設に改組され、一九八五（昭和六〇）年四月には、目録・所在情報サービスの運用を開始する。そしてまた一九八六（昭和六一）年四月に、同センターを改組・転換し、国立大学共同利用機関として学術情報センターが設立される。翌一九八七（昭和六二）年四月には学術情報センターは、学術情報ネットワーク、情報文献サービス（ＮＡＣＳＩＳ-ＩＲ）を開始する。

このように、毎年、年度始めの四月に目に見えるような形で学術情報システムを推進してきた文部省は一九八八（昭和六三）年四月に「国立大学及び国立短期大学の事務局等の部及び課に関する訓令」を一部改正する。従来の国立大学附属図書館の整理課・管理課を情報管理課に、閲覧課・運用課を情報サービス課に、学術情報課を情報システム課に、それぞれ名称変更する。ここに、学術審議会が文部大臣に答申した「今後における学術情報システムの在り方について」から文部省が至上命令とした学術情報システムは一応の形を整えたのである。

〈五〉学術情報システムの成果

ところで、「資源共有」を錦の御旗に推進されてきた学術情報システムの成果とは、と今さら大上段に構えて問うべくもないかも知れないが、ここでは少し気になる研究を紹介しておきたい。気谷陽子「学術情報システムのもとでの大学図書館サービスの展開」(『日本図書館情報学会誌』第四九巻第四号、二〇〇三年一二月)と、同じく気谷陽子「「学術情報システム」の総体としての蔵書における未所蔵図書の発生」(『日本図書館情報学会誌』第五三巻第二号、二〇〇七年六月)の二つ。

まず前者の「学術情報システムのもとでの大学図書館サービスの展開」。

気谷陽子の問題意識は「学術情報システムの資源共有の考え方を軸に、大学図書館サービスの展開を、図書館統計を用いて明らかにし」ようとするもので、文部省(現文部科学省)が毎年調査する『大学図書館実態調査結果報告』を使用して①「提供目的の資源の指標」、②「検索目的の資源の指標」、③「提供目的のサービスの指標」、④「検索目的のサービスの指標」の四つについて詳細に分析している。

気谷はサービスの展開を五期に分け、それぞれの特徴を以下のように記している。

I期(一九八〇―一九八三)

この時期は、「全ての指標で増加傾向がみられたが、特に年間図書受入冊数、雑誌受入タイトル数は全期間をとおして最も増加幅が大きかった」として、「I期は学術情報システム構想のもとで相互利用推進のための制度整備と、ネットワークやコンピュータなどのハードの環境整備が進められた時期」という。

II期(一九八四―一九八八)

「I期に引き続き全ての指標で増加傾向がみられたが、I期と比較すると増加の幅は小さくなった。

年間図書受入冊数と雑誌受入タイトル数は全期間を通してのピークを記録」。「Ⅱ期はＮＡＣＳＩＳ-ＣＡＴをはじめとする学術情報流通の基盤となる技術やシステムが、開発段階から実用段階に移行し」た。

Ⅲ期（一九八九―一九九三）

「年間図書受入冊数と雑誌受入タイトル数、検索サービス件数は減少したが、これ以外の指標では引き続き増加傾向がみられた」。「Ⅲ期はＮＡＣＳＩＳ-ＩＬＬの開始をもって資源共有を基調として構成された学術情報システムが一応の完成に至り」、その「有効性が実証された」。

Ⅳ期（一九九四―一九九八）

「検索目的の資源の指標と提供目的のサービスの指標が引き続き増加傾向を示したが、雑誌受入タイトル数は前期に引き続いて減少した」。「Ⅳ期はＣＤ―ＲＯＭ、電子ジャーナルといったＯＰＡＣ以外の電子資料の提供が、大学図書館サービスとして開始された時期」になる。

Ⅴ期（一九九九―　　）

「検索目的の資源の指標と提供目的のサービスの指標は増加傾向を示した。雑誌受入タイトル数と参考業務件数が減少した。電子ジャーナルのタイトル数と一次資料の電子化実施率が著しく増加した」。「Ⅴ期は大学図書館が提供する電子資料が拡大した時期」になる。

そして「大学図書館の二〇〇一年時点の現状」として先の四つの指標について言及する。①「提供目的の資源の指標」は、「年間図書受入冊数、雑誌受入タイトル数は、学術情報システム以前の低い水準にとどまっており、学術情報システムのもとで共有されるべき資源の蓄積が十分に行われていない状況であることを示している」。が、電子ジャーナルタイトル数が急増している。

②「検索目的の資源の指標」では、「ほとんどの大学がOPACを公開し、NACSIS-CATをとおしてWebcatに目録データを提供している。遡及入力の問題はあるが印刷資料については資源共有の前提となる所在情報がほとんどの大学で公開されるようになっていることを示している」。

③「提供目的のサービスの指標」では「相互貸借借受件数は一貫して増加」、「学外文献複写依頼件数は増加が鈍ってきた」。「印刷資料を電子化して学内外に発信する新たなサービスに取り組む大学が増えていることを示している」。

④「検索目的のサービスの指標」では「教職員の利用件数が一九九六年を境に減少に転じ、参考業務件数が減少している」。また「資源共有に関連しては、ほとんど同じ水準を保っている点に注目される」と分析している。

次に後者のもう一つの論文「「学術情報システム」の総体としての蔵書における未所蔵図書の発生」。気谷は、八〇年答申当時から危惧されていた「学術情報システム」総体としての蔵書の欠落に注目する。雑誌について「外国雑誌センター」が設けられ、欠落を補う仕組みがつくられたが、図書に関しては各大学の自由にまかされていた。

気谷は、一九九九年に筑波大学で授与された課程博士の学位論文に引用された図書を対象にその図書の出版地、出版者、出版年、分野に分けて詳細に分析している。

そして八〇年答申では一応「"人文・社会科学も含め必要な分野については、全国的観点から学術雑誌及び図書の網羅的収集整備を図るべきである"とされた「網羅的」には程遠く、一〇〇〇以上の参加機関を擁する図書館ネットワークとしては所蔵率が低い状況にある」という。より具体的には、出版地では、アジア、アフリカ、オセアニア諸国や欧州でも主要国以外に未所蔵図書が多い。日本で出版された図書も未所蔵がかなりある。出版者では、政府機関や大学で出版されたものに未所蔵が多い。

出版年では、一九七九年以前の図書の未所蔵が多い。これは、遡及入力の問題である。「遡及入力は、OPACのデータ作成と同時に総合目録データベースに目録データが登録される新着図書の目録作業と異なり、個別の図書館あるいはその設置期間にとって、直接的利益が必ずしも明確でない。このため、設置機関の経営担当者の理解が得にくく、遡及入力に必要な経費の捻出が困難な事情があり、遡及入力が進まない図書館も少なくない」。分野別では、人文科学が少なく、社会科学、生命科学の分野に未所蔵図書が多い。

ついでながら、私（たち）が学術情報システム反対運動を始めた頃、今では的外れな「ためにする」ような議論もあったが、気谷が詳細に分析したような危惧は当時から確かに存在していた。

曰く、外国雑誌センターの設立にしても、極端に言えば、雑誌は日本に一冊あれば、よいことになり、やがて雑誌そのものの発行が困難になるだろう。

曰く、図書もその運命をたどる可能性がある。

曰く、貴重図書なので、NACSIS－CATに登録すると、他の大学の研究者から相互貸借の依頼がくると面倒なので、放置しておこう。

曰く、図書の遡及入力などは、国立大学の大きな図書館がすればよいので、中小の私立大学図書館はNACSIS－CATにどこかの図書館が登録してから、それにぶら下がれば楽だ。

曰く、新刊図書も同じでそのうち誰かが登録するはずだから、待っておこう。

曰く、自費出版本や地方の小出版社の本、灰色文献などは、自館で目録を作らなければならないから、購入しないでおこう、等々。


現実にどこまでがホントに実行されたのか、どうか分からないが、話しとしては「あった」のは間違いない。聞くところよると、二〇二〇年にNACSIS－CATは変わるという。参加機関が一三〇〇を超え、三十年余も継続した総合目録データベースがどのように変わるのか、今の私にはほとんど興味がない。というより、ほとんど分からない。ただ、変わる原因の一つに「NACSIS－CATという優れた書誌ユーティリティ普及が各大学の図書館職員の目録業務を削減し、それが目録担当職員削減を促す、ということは経営的観点で言えば合理的な流れではあるが、それがNACSIS－CATの運用の土台の維持が困難なまでに進んできてしまった」（三角太郎「2020年のNACSIS－CAT検討作業部会の検討状況」『図書館雑誌』第一一一巻第八号、二〇一七年八月号）という現実があるという。

この章の最後に、大学図書館関係者以外の読者には馴染の薄い横文字についてごく最低限の説明を記しておく。

①OPAC(Online Public Access Catalog)
オンライン閲覧目録のことで、現在は大学、公共を問わずほぼすべての図書館で利用されている。一九八〇年代の大学図書館から始まり、個別大学の館内のパソコンの端末を叩くことで自館の蔵書検索が可能となり、従来のカード目録にとって代わった。その後インターネットを通じてどこからでも大学、公共図書館の蔵書検索が出来る。

②NACSIS-CAT(National Center for Science Information System Catalog)
国立情報学研究所が提供している日本最大の総合目録データベース。本章で論じている学術情報システム構想が実現、発展した。国立情報学研究所のHPによれば、二〇一九年度末現在、接続機関は国公私立大学を中心に短期大学、高等専門学校、大学共同利用機関、海外機関、一部の県立公共図書館や病院等、全部で一三四一機関。図書書誌の登録件数は一一八二万四八九一冊。雑誌書誌の登録件数は三五万五〇四二種。

③NACSIS-ILL(National Center for Science Information Inter Library Loan)
前記NACSIS-CATで作成された総合目録データベースを利用して、参加機関間で資料の相互貸借、文献複写、料金決済などを行うサービス。

第四章

大学図書館問題研究会の学情への取り組み

〈一〉緊縮財政のなかで学情予算だけが

大学図書館問題研究会（以下大図研と略記）が学術情報システム問題に本格的に取り組み始めたのは一九八一（昭和五六）年八月一日～三日、阪急旅行会館（兵庫県宝塚市）で開かれた第一二回全国大会からであった。

第一号議案「大学図書館をめぐる情勢」で「大学図書館を覆う学術情報システム」と題して、一九八〇年度の文部省の大学図書館行政を具体的に論じている。とくに国立大学図書館予算に着目し、緊縮財政のあおりで低い伸び率（前年度比三・九％）のなかで、図書館業務合理化経費は七五・五％増、図書館特別業務経費二〇四・一％増、学術情報センターシステム開発調査費一六六・四％増等、学術情報システム整備への突出した予算増を指摘して、この一年を「国立大学図書館は今や学術情報システム形成の渦中にあり、それぞれの大学図書館が、文部省の政策、指導を真正面から受け止め、対応に積極的に取り組んでゆく状況にある」と記している。

そして「学術情報システムに対する、私たちの見解」では、①研究機能の一面的重視と大学の教育機能に果たすべき図書館の役割の軽視、②予算操作による大学の自治への介入と中央集権化、③拠点校を中心とした大学の系列化、④中小規模大学の単なるターミナル化、⑤職場の図書館員の階層化と少数精鋭主義の持ち込み、等の問題点を指摘する。

それに対して、大図研は、「大学の全構成員―国民の要求にもとづく大学図書館の総合的発展」を目指す。つまり「日本の科学の自主的、民主的、総合的発展を保障するため、大学の全構成員と主権者たる国民に開かれた学術情報システムづくりにも主体的、積極的にかかわってゆくものであることを確認したい」という（『大学図書館問題研究会会報』第九一号、一九八一年六月号、以下、『大図研会報』と略記。一九八二年四月号の第一〇一号から『大学の図書館』に改題する）。

この論調では、文部省主導の学術情報システムの問題点を指摘しながらも、大図研の主張は「国民に開かれた学術情報システムづくり」に「主体的、積極的にかかわってゆく」という極めて抽象的、観念的なものでしかない。大会の分科会「学術情報システムと機械化」でも、議論は第一号議案の中身を超えるものではなかった（『大図研会報』第九七号、一九八一年一二月号）。

この時期、学術審議会の答申（前掲「今後における学術情報システムの在り方について」一九八〇年一月）は公になっていたが、文部省の大学図書館現場への具体的な動きはほとんどなかった。国立大学図書館中心の研究大会や研修会、それも管理職を対象とする集まりで学術情報システムが主題になっていたが、個別の図書館現場では、個々の機械化（コンピュータ化）の方が当面の課題だった。

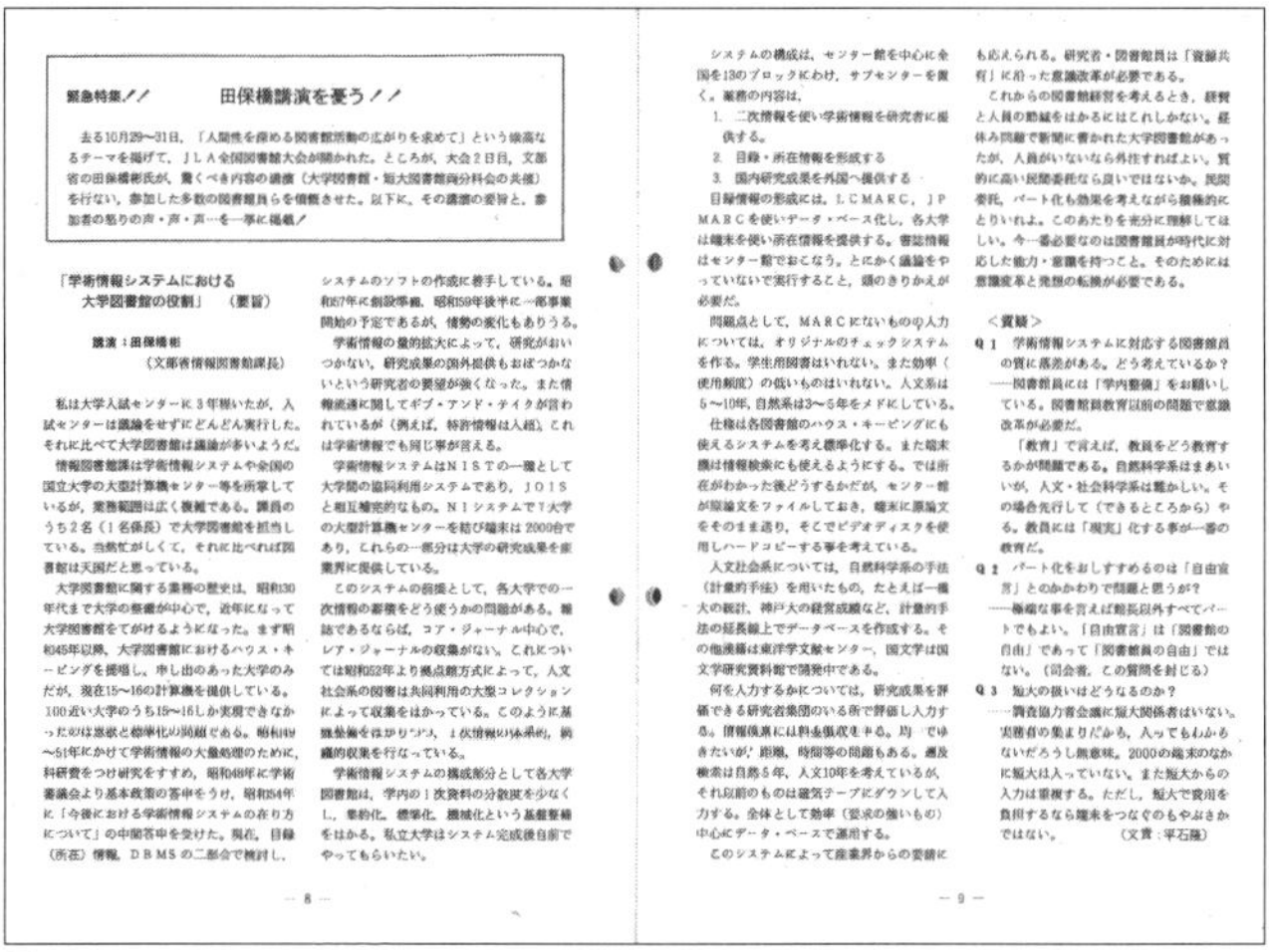
緊急特集！！　田保橋講演を憂う！！

去る10月29〜31日，「人間性を深める図書館活動の広がりを求めて」という崇高なるテーマを掲げて，ＪＬＡ全国図書館大会が開かれた。ところが，大会２日目，文部省の田保橋彬氏が，驚くべき内容の講演（大学図書館・短大図書館両分科会の共催）を行ない，参加した多数の図書館員らを憤慨させた。以下に，その講演の要旨と，参加者の怒りの声・声・声…を一挙に掲載！

「学術情報システムにおける大学図書館の役割」（要旨）

講演：田保橋彬（文部省情報図書館課長）

私は大学入試センターに３年程いたが，入試センターは議論をせずにどんどん実行した。それに比べて大学図書館は議論が多いようだ。

情報図書館課は学術情報システムや全国の国立大学の大型計算機センター等を所掌しているが，業務範囲は広く複雑である。課員のうち２名（１名係長）で大学図書館を担当している。当然忙がしくて，それに比べれば図書館は天国だと思っている。

大学図書館に関する業務の歴史は，昭和30年代まで大学の整備が中心で，近年になって大学図書館をてがけるようになった。まず昭和45年以降，大学図書館におけるハウス・キーピングを提唱し，申し出のあった大学のみだが，現在15〜16の計算機を提供している。100近い大学のうち15〜16しか実現できなかったのは予算と標準化の問題である。昭和49〜51年にかけて学術情報の大量処理のために，科研費をつけ研究をすすめ，昭和48年に学術審議会より基本政策の答申をうけ，昭和54年に「今後における学術情報システムの在り方について」の中間答申を受けた。現在，目録（所在）情報，ＤＢＭＳの二部会で検討し，システムのソフトの作成に着手している。昭和57年に創設準備，昭和59年後半に一部事業開始の予定であるが，情勢の変化もありうる。

学術情報の量的拡大によって，研究がおいつかない，研究成果の国外提供もおぼつかないという研究者の要望が強くなった。また情報流通に関してギブ・アンド・テイクが言われているが（例えば，特許情報は入超），これは学術情報でも同じ事が言える。

学術情報システムはＮＩＳＴの一環として大学間の協同利用システムであり，ＪＯＩＳと相互補完的なもの。ＮＩシステムで７大学の大型計算機センターを結び端末は2000台であり，これらの一部分は大学の研究成果を産業界に提供している。

このシステムの前提として，各大学での一次情報の蓄積をどう使うかの問題がある。雑誌であるならば，コア・ジャーナル中心で，レア・ジャーナルの収集がない。これについては昭和52年より拠点館方式によって，人文社会系の図書は共同利用の大型コレクションによって収集をはかっている。このように基盤整備をはかりつつ，１次情報の体系的，網羅的収集を行なっている。

学術情報システムの構成部分として各大学図書館は，学内の１次資料の分散度を少なくし，集約化，標準化，機械化という基盤整備をはかる。私立大学はシステム完成後自前でやってもらいたい。

— 8 —

システムの構成は，センター館を中心に全国を13のブロックにわけ，サブセンターを置く。業務の内容は，

1. 二次情報を使い学術情報を研究者に提供する。
2. 目録・所在情報を形成する
3. 国内研究成果を外国へ提供する

目録情報の形成には，ＬＣＭＡＲＣ，ＪＰＭＡＲＣを使いデータ・ベース化し，各大学は端末を使い所在情報を提供する。雑誌情報はセンター館でおこなう。とにかく議論をやっていないで実行すること，頭のきりかえが必要だ。

問題点として，ＭＡＲＣにないものの入力については，オリジナルのチェックシステムを作る。学生用図書はいれない。また効率（使用頻度）の低いものはいれない。人文系は５〜10年，自然系は3〜5年をメドにしている。

仕様は各図書館のハウス・キーピングにも使えるシステムを考え標準化する。また端末機は情報検索にも使えるようにする。では所在がわかった後どうするかだが，センター館が原論文をファイルしておき，端末に原論文をそのまま送り，そこでビデオディスクを使用しハードコピーする事を考えている。

人文社会系については，自然科学系の手法（計量的手法）を用いたもの，たとえば一橋大の統計，神戸大の経営成績など，計量的手法の延長線上でデータベースを作成する。その他漢籍は東洋学文献センター，国文学は国文学研究資料館で開発中である。

何を入力するかについては，研究成果を評価できる研究者集団のいる所で評価し入力する。情報検索には料金徴収をする。均一でゆきたいが，距離，時間等の問題もある。遡及検索は自然５年，人文10年を考えているが，それ以前のものは磁気テープにダウンして入力する。全体として効率（要求の強いもの）中心にデータ・ベースで運用する。

このシステムによって産業界からの要請にも応えられる。研究者・図書館員は「資源共有」に沿った意識改革が必要である。

これからの図書館経営を考えるとき，経費と人員の節減をはかるにはこれしかない。経休み問題で新聞に書かれた大学図書館があったが，人員がいないなら外注すればよい。質的に高い民間委託なら良いではないか。民間委託，パート化も効果を考えながら積極的にとりいれよ。このあたりを充分に理解してほしい。今一番必要なのは図書館員が時代に対応した能力・意識を持つこと。そのためには意識変革と発想の転換が必要である。

＜質疑＞

Q１　学術情報システムに対応する図書館員の質に落差がある。どう考えているか？
——図書館員には「学内整備」をお願いしている。図書館員教育以前の問題で意識改革が必要だ。
「教育」で言えば，教員をどう教育するかが問題である。自然科学系はまあいいが，人文・社会科学系は難かしい。その場合先行して（できるところから）やる。教員には「現実」化する事が一番の教育だ。

Q２　パート化をおしすすめるのは「自由宣言」とのかかわりで問題と思うが？
——極端な事を言えば館長以外すべてパートでもよい。「自由宣言」は「図書館の自由」であって「図書館員の自由」ではない。（司会者，この質問を封じる）

Q３　短大の扱いはどうなるのか？
——調査協力者会議に短大関係者はいない。実務者の集まりだから，入ってもわからないだろうし無意味。2000の端末のなかに短大は入っていない。また短大からの入力は重複する。ただし，短大で費用を負担するなら端末をつなぐのもやぶさかではない。（文責：平石隆）

— 9 —

図4-1

〈三〉田保橋彬講演に対する「怒り」

こんななかで、学術情報システム問題をまさに、問題として大きく大学図書館員に意識させたのは、先に記した一九八一（昭和五六）年一〇月に開かれた第六七回全国図書館大会埼玉大会での例の田保橋彬の講演である。田保橋講演の中身は先に触れたが、大図研も直ちに機関紙で「緊急特集！田保橋講演を憂う」という特集を組む（『大図研会報』第九七号、一

九八一年一二月号）【図4-1】。全国図書館大会に参加した個々の大学図書館員の「声」を集めた特集は、編集部がいうように「多数の図書館員を憤激させた」、その「参加者の怒りの声・声・声」であった。

その「声」は、公立大学や私立大学図書館が期待する相互協力への関心、各大学が個別に進めている機械化（コンピュータ化）との関連、短期大学の切り捨て、労働問題等、多岐にわたる。が、最大の「怒りの声」の根底には、大手国立大学（旧帝大）とその研究者への優遇と、その他の大学の冷遇、もしくは無視、同じく、コンピュータを操作できる「有能な」図書館員と、その他多くの「無能な」図書館員への露骨な差別意識に対する反感があった。

ついでながら言えば、当時私は四国の小さなキリスト教主義大学（四国学院大学）の図書館員だったが、学術情報システム関係で忘れられない体験が二回ほどある。

一つは、一九八五（昭和六〇）年一一月に愛媛大学（会場はにぎたつ会館）で開かれた第二六回中国四国地区大学図書館研究集会。テーマは「図書館業務の電算化」。私はこの会で、私が中心になって実現した四国学院大学図書館の市民開放について話した。その時、学術情報システムが「資源共有」を理念としているのに、日本のほとんどの大学図書館は、閉鎖的で、学外者が実際に資料を利用しようとすれば、複雑な手続きが必要でたいへんだ。四国学院は簡単な手続きで誰でも利用できる、というように、暗に学術情報システム批判を織り込んだ話をした。

ちょうど、国立大学図書館協議会が「大学図書館の公開に関する調査研究班」を組織した頃で、新

尊敬し合うことから築かれるのであって、なぜ事務職員が一方的に「忍の一字」で耐えなければならないのか」と質問した。答えは『先生方はお忙しいし』とか「いい研究をして頂きたいし」とか、要するにつべこべ言わずに「忖度しろ」ということである。その夜の懇親会で私にビールを注ぎにきてくれたのは、私立大学図書館の女性職員だけだった。『中国四国地区大学図書館協議会誌』（第三二号、「昭和六三年度の記録」一九九〇年）の記録には「忍の一字」という文言は削除されている。

閑話休題。翌一九八二（昭和五七）年の大図研の第一三回全国大会でも、「臨調路線下の大学図書館」と題して、「平和と民主主義の危機の時代—学問の自由、大学の自治、図書館の存立と発展の基盤が脅かされつつある」とか「ネットワーク志向の大学図書館政策」では、「すすむ学術情報システムのネットワークへの大学図書館の再編成、先細りの学術情報システム計画」、「私大、短大、高専に高まる不満」等が情勢分析のなかで記されている。しかし、活動方針は、「平和と民主主義」、大学の自治の下に、大学図書館の民主的発展を目指す、という従来の路線を踏襲する。具体的には、①貸出・利用を伸ばす、②利用者に早く資料を提供する、③専門的な力量をつける、④労働組合と協力して職場の民主化と労働条件の改善、というものであった。

このような大図研執行部の姿勢に飽き足りない私立大学図書館やすでに機械化が進行している国立大学図書館の現場からさすがに、もっと突っ込んだ検討や運動を提起する意見が出始めた。

たとえば、追手門学院大学図書館の胸永等は、田保橋講演の差別性を指摘して、大図研の綱領「わ

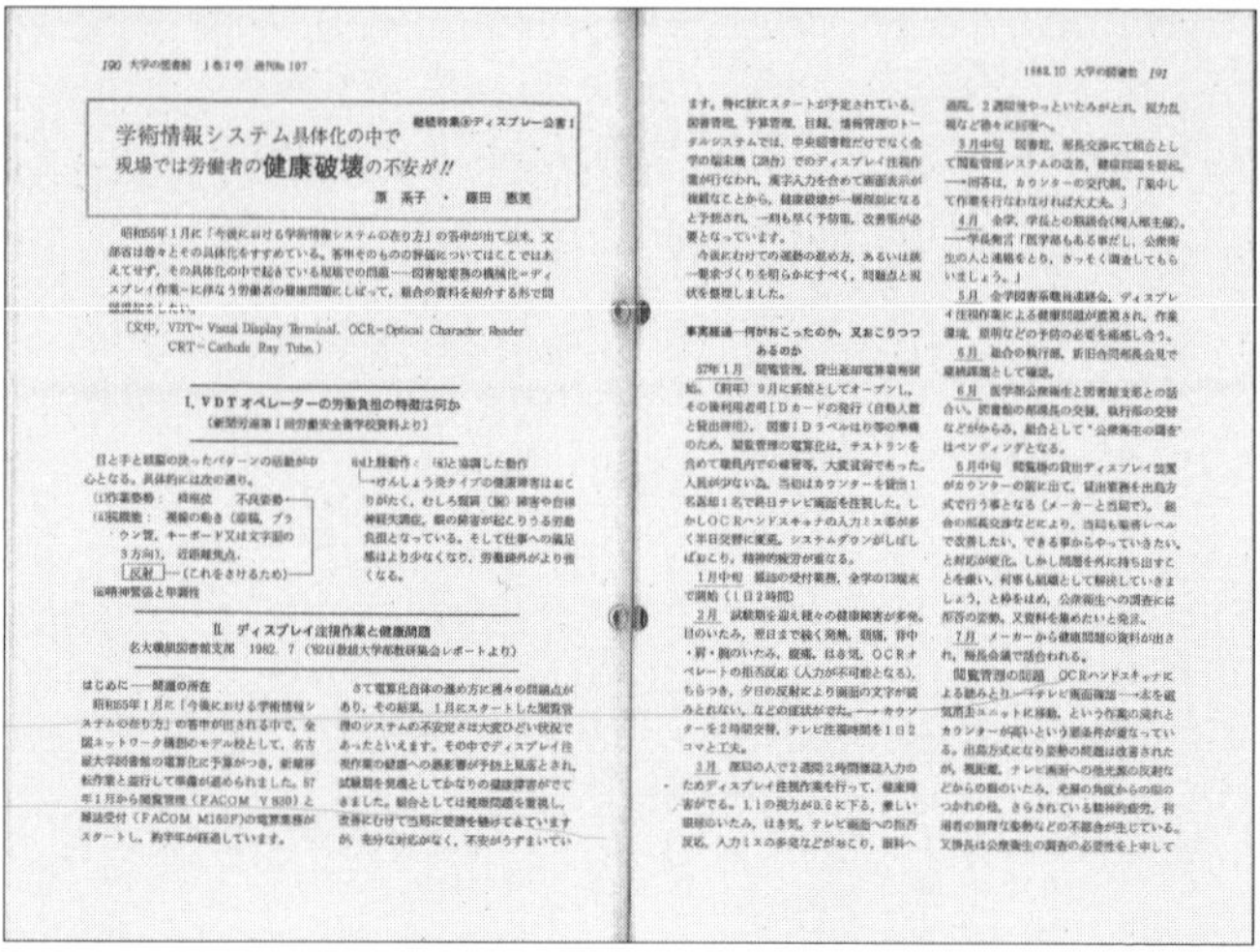

学術情報システム具体化の中で
現場では労働者の健康破壊の不安が!!

〔文中、VDT＝Visual Display Terminal, OCR＝Optical Character Reader
CRT＝Cathode Ray Tube.〕

I. VDTオペレーターの労働負担の特徴は何か

II. ディスプレイ注視作業と健康問題

図4-2

たしたちは、大学図書館の民主的な発展をめざして活動しますか」と「学術情報システムが同居しうるだろうか」と問い、今年（一九八二年）の大図研全国大会の議案書の「学術情報システムが産業界の方を向いたものとなるか、国民の方を向いたものになるかが問われている」という文言の「問われている」とは「どういうことか」と執行部のあたかも他人事のような姿勢を鋭く批判する。そして、「学術情報システムについて、反対が貫き通せるかどうかは別にしても、反対を言わなければならないと思う」と、大図研が大図研として学術情報システムに対して旗幟鮮明にすることを迫る。

その上で、「一、反対声明を発する。二、来年（一九八三年）の大会の活動方針では、反対を鮮明に打ち出す。三、会報だけではなく、あらゆる媒体を利用して、反対の情宣活動を行う。四、図書館大会（山口）に参加して、反対意見を述べる」という具体的な運動方針をも提案した（「学術情報システム反対の取組みを！」『大学の図書館』第一〇七号、一九八二年一〇月号)。

名古屋大学附属図書館の原系子と藤田恵美は、職場での長時間に及ぶディスプレイ注視による「目のいたみ、翌日まで続く発熱、頭痛、背中、肩、腕のいたみ、腹痛、はき気、OCRオペレートの拒否反応、ちらつき」等々の具体例を挙げ、その原因を「①、当局の職員健康管理への配慮が不充分。②、メーカーの対応の遅れ。③、古い作業環境下での不適合。④、研修不足とコンピュータ労働への関わり方の問題。⑤、人員不足のため労働荷重になる」と指摘した(「学術情報システム具体化の中で現場では労働者の健康破壊の不安が!!」同上)【図4-2】。

以後、とくに胸永の問題提起をめぐって『大学の図書館』誌上で約三年もの間、激しい学術情報システム論争が闘わされることになる。この論争は多岐にわたり、しかも論者それぞれの歴史観、科学観を含む政治的思想的な信条にまで関わって、次第に感情的な対立を生むようになってくるのだが、もうしばらくその経過を追っていく。

〈三〉学術情報システム論争

中央学院大学図書館の松井博は、「学術情報システムをとりまく周囲の環境は、キナ臭い空気がただよっている。従って産学協同というよりは、軍・産・官・学協同の体制づくりに、学術情報システムもくみ込まれていく危険性がある」と言いつつしかし、「学術情報システムそのものに反対することは間違いであろう。その軍・産・官・学協同に結びつく側面や反国民的なすすめ方に反対し、批判的な世論を館界・学会・マスコミ・社会に広げていくべきである」。そして、「私の考えでは、〝図書館の自由宣言や図書館員の倫理綱領を基調とした学術情報システムを〟という立場がわれわれの態度表明であるべきだと思っている」（「核時代の学術情報システム」『大学の図書館』第一一〇号、一九八三年一月号）。

東京農工大学工学部図書館の和田長丈は、自らが東京地区国立大学図書館ネットワーク研究会に二年間、委員として参加した中身を自館の館員に逐一報告してきた経験を踏まえ、「館長も事務長も私たちの意見を無視して安易にネットワークに加入しようとはしないだろうと期待しています」。ただ、「現状では、大学図書館のサービスに多くの不満といらだちを持つ利用者がいて（とくに科学技術系の）、この人たちの存在が学術情報システム計画の推進力となっている事実があることを認めなくてはなりません」と言い、「胸永さんの四提案がどのくらい実質的効果を発揮できるのか、懐疑的にならざるを得ない」。とはいえ、「図書館員どうしの考え方の違いを解消し止揚できる場は、大図研以外にないと思ってい」るので、「これを契機に多くの会員の意見が本誌に載ることを期待」すると結ぶ（「編集者への手紙」同上）。

東京工業大学附属図書館の中村秀子は、大図研執行部の「国民」や「利用者」という表現の曖昧さを衝く。昨年（一九八二年）の大図研大会での議案書のなかの「学術情報システムが産業界の方を向いたものになるか、国民の方を向いたものになるかが問われている」という文言の「問われている」に胸永が疑問を呈したことに対し、中村は、「ここでは産業界と国民が対立概念でとらえられているが、いつものことながら議案書の中での「国民」の中身が非常に分りにくい」と言い、「だから、大学図書館が「国民」の要求に応えるという時、何を、どう応えるのか、はっきりしなくなってしまうのである」と言う。同じように大学図書館での「利用者」という言葉も「不鮮明」だ、と指摘する。そして、「大図研が組織として学術情報システムに、はっきり反対が出来ず、却って、国の政策推進の方向にのめり込む気配すらあるのは、この様な言葉に現われた、現実把握の認識又は不足が原因ではないかと思う」という（「「学術情報システム反対の取組みを！」についての感想」『大学の図書館』第一一一号、一九八三年二月号）。

四国学院大学図書館の東條文規は、学術情報システムにはいろんな問題はあるけれども、利用者のためになんとか巧く運用出来ないか、と悩んでいる「根がまじめな」図書館員に向けて、中井正一の「委員会の論理」を援用し、現実の学術情報システム構想は、中井の言う「百貨店としての図書館」から「情報網としての図書館」への「遠大な構想」とは「論理のすじ道がまったく逆である」と主張する（「ひょっとして、学術情報システムは、中井正一さんの構想の実現ではないか、と考えているみなさんへ！」同上）。

一方、東京経済大学図書館の浅賀律夫は、「日本学術会議によって学術情報政策がくりかえしくりかえし政府に求められている。それは、学術情報システムが、研究者にとって必要であり、また関係機関としての大学図書館にとってもこのシステムはいずれは到達すべきシステムでもあると思う」として、胸永や中村が問題にした「問われている」や「利用者」という文言を肯定的に繰り返す。そして、「意識ある国民の求める道と反する道を歩んでいる政府機関が指導するところにシステムの問題が発生しているのである」と言う（「学術情報システムに対する大図研の態度」同上）。

追手門学院大学図書館の山川夏雄は、先の松井博の「核時代の学術情報システム」に対して、松井の過去のいくつもの論稿を挙げて、松井の立場で今回の学術情報システムに「反対することは誤りであろう」と言い切るのは「どうにも理解」出来ないと言う（「再び、学術情報システムについて——松井博氏の意見に対して——」『大学の図書館』第一一三号、一九八三年四月号）。

さらに山川は、浅賀律夫が大図研の前委員長であったことに言及して、松井や和田の論稿にも触れながら、なぜ大図研が組織として明確な反対声明を出さないのかと迫り、「学術情報システムに反対することに反対する人たちが、自説を明確にされることを希望します」と執行部批判に言及した（「学術情報システムに対する大図研の「立場」」『大学の図書館』第一一四号、一九八三年五月号）。

京都大学霊長類研究所図書室の河田いこひは、「人間社会の行く末にかかわる事態に直面すると、ひとはおしなべてその問題を避けようとする。考える人の存在と自ら考えることとを共に拒絶し、何も発言しないことによって現状を是認する。たとえば、原子力の問題やコンピュータの問題は、そのように扱われている」と言う。そして学術情報システムの問題は、すべてを数値化する広くコンピュータの問題と捉え、「いま提案したいのは、「進歩」や「現状」を肯定してしまわないこと、コンピュータなしには扱えないほどの量の情報の操作に力を入れるのではなく、それらの中身をいちいち点検すること、そして、とうてい不可能に思われる「あともどり」をも考えに入れて、地球全体の将来を見よう、ということである」と主張する（「大学図書館員と学術情報システム」同上）。

河田の考え方の根底には本人も言うように「科学そのものは中立であり、研究の進め方と使い方とが問題なのだ、という戦後ずっとある主張」に対する奥深い懐疑と批判とが窺える。

〈四〉論争はさらに苛烈に

胸永等の問題提起、とくに大図研第一三回大会（一九八二年）決議への異議申立から始まった『大学の図書館』誌上での学術情報システム論争を重く見た編集委員会は、第一一五号（一九八三年六月号）でさらに「「学術情報システムと大図研の態度」についての会員間集中討論を訴える」を掲載する。同じ号（一一五号）で松井博は、先の山川論稿に反批判を試みている。山川（ら）には、「自分たちのよりよい解決策（展望）の提示」が一切ないのでは、生産的な論争にならないと言い、私（松井）は「学術情報システムのあらゆる側面に反対し、その進行を阻止するために批判するのではありません」と言う（「学術情報システムの評価をめぐって―山川夏雄氏らの批判に答える―」『大学の図書館』第一一五号、一九八三年六月号）。

一方、実際に一〇年前（一九七二年）から大阪大学、群馬大学に続いて大学図書館のコンピュータ化のテスト校になっていた東京工業大学附属図書館の中村秀子は、この一〇年間の現場の変化を具体的に記す。一九七〇（昭和四五）年から東工大図書館は新館建設、コンピュータ化テスト校、部課制の導入と並行して組合活動家の図書館員の集中的な異動が実施される。部課制の導入は、人員増を含む運営の拡大ではなく、管理強化が目的であり、増え続ける資料整理に、コンピュータ化は省力化どころか従来以上に業務量は拡大した。そのためにアルバイト、パート、業務の下請化を実施、増大化が図られた。さらに、この学術情報システム化を「スムーズに可能ならしめる軸となるのは、毎年実行される文部省コントロールによる大がかりな人事異動」で、「二年〜三年毎に、部課長は全国規模で」、「最近は掛長レベルでも同様の形をとりつつある」。「今年もまた東工大図書館の外国雑誌予算は、他大学の減少を尻目に増加した」。

このような現場の状況を詳細に記した中村は、「私が学術情報システムを国ぐるみの合理化というのは、こうした低賃金の働き手を増やし、組合活動をしめつけ、管理強化を推しすすめながら、コンピュータを導入し、ネット・ワーク云々することを指すのである」と主張し、「今こそさまざまな反対に向けての〝現実〟をつくり上げて行くべき時なのだと思う」という山川らに共感を示す。その上で「私はこの様にドラスティクな大学図書館にいるから」、反対「の提案もまたドラスティクになる」と次のような闘いへの具体策を提起する。

(一) 現場での長時間労働をしない。(二) 動きたくない人事異動には応じない。(三) 仕事の変化に神経をとがらせる。(四) 職業病のニュースに注意する。(五) 館員をふるいにかける差別と分断には、その意味を理解した人たちとの団結で対決していく以外克服の途はない。

「大切なのは、図書館で働く人たちが、安心して働けること、そして皆の健康を守ること、それが基本的態度でなければならない」。「それを失ってつくられる学術情報システムが、何故「国民」「利用者」に便利で必要なのか、という根本的な疑問をいつももっていることが大切だと思う」と基本的人権に基づいて訴える（「センター校の現実」『大学の図書館』第一一六号、一九八三年七月号）。

東京経済大学図書館の細井五は、一九八一（昭和五六）年一〇月の全国図書館大会（埼玉）での田保橋講演を詳しく紹介し、「田保橋氏の発言はすべて間違いか」と問う。「学術情報システムの計画には、学術情報の量的増大と、研究者の要望という二つの背景が掲げられている」のであり、これらを胸永の言うように全否定することは出来ない。そして、「これからの問題として」、「学術情報システムについても、実施に当っては、慎重な現場討議を重ねた上で働く者へのしわ寄せを留意しながら、対策を立てるべきであ」り、「一日も早く着手しなければならない事は」、学生や研究者ら「利用者との連携」である、と言う（「学術情報システムの討議のために」『大学の図書館』第一一七号、一九八三年八月号）。

同じ東京経済大学図書館の浅賀律夫は、胸永や山川の批判に対し、大図研第一三回大会（一九八二年）の酒井忠志委員長（京都府立大学図書館）の言う「利用者本位の観点から率直に現場をみつめて、大学の全構成員自治の原則をふまえて、教員や学生等との協力共同のもとに、国民に開かれた大学の図書館の総合的な発展」を引用し、それ「こそが最も重要な時だと思います」と言う。大図研が他の団体の「学術情報システム反対」の意思表示や行動を肯定しておいて、なぜ、大図研自体は反対しないのか、という批判については、大図研の組織率の弱さと研究団体としての性格を強調する。「そこで行われるのは研究分析し異論があれば問題を指摘し、批判するということです。それを受けて個々の会員が現場で図書館としての運動を展開し得るよう行動するものだと考えているのです」と、かなり苦しい言い訳に研究団体を持ち出す（「続・学術情報システムに対する大図研の態度」同上）。

〈五〉総花的な執行部提案の裏で

田保橋講演に対する胸永の批判に端を発した学術情報システムを巡る誌上論争は、大図研内部、なかでも執行部の方針に対する批判と執行部の反批判という形でその後も続けられる。その最中の一九八三（昭和五八）年八月に大図研第一四回大会が天理大学で開催される。常任委員会作成の「討議資料「学術情報システム」について」は、「学術情報にかかわる国民の要求と国の責任」に関し、次のように記している。

「憲法で保障された学問の自由と教育を受ける権利」の上から「いつでも、どこでも、誰でも、必要なときに必要な情報が検索できること、その所在が明らかなこと、それを確実しかも迅速に入手できること等が必要である」。「これに対し、国は、すべての国民が平等に学術情報を利用することができるよう諸条件を整備し、学術情報にかかわる国民の要求に応えなければならない」。

その上で、「「文部省学術情報システム」の問題点」として以下の項目を挙げる。（一）研究者サービスの一面的重視。（二）「資源共有」の名による大学自治の形骸化と官僚的支配、図書館運営の画一化と中央集権化。（三）選別による格差の拡大と全体としての大学図書館の貧困化。（四）国立大学中心、中小私立大学や短大の切り捨て。(五)職員の階層分化。(六)人員削減、労働強化、健康障害。(七)受益者負担主義。(八)学術情報の国家管理、大企業奉仕、軍事利用との結合の危険性。

一方、国民のための学術情報システムの考え方として自主・民主・公開の原則を貫き、以下の要件を備える必要があるという。
(一)あらゆる学術情報をすべての国民に公開し、自由な利用を保障する。(二)利用者のプライバシー保護に必要十分な配慮をする。(三)諸科学の調和ある総合的な発展をめざし、自然科学のみならず、人文・社会科学、古文書や公文書等に十分配慮をする。(四)個々の図書館の充実を図る。(五)情報保有者は自主的な立場で参加。(六)すべての国との国際協力。(七)システムの計画と管理運営を民主的に統制できる制度を確立。(八)職員の専門的役割を確立し、労働条件と諸権利を確保する。(九)以上の考え方に立つ学術情報システムを国民の合意により形成する。
そして「私たちは、以上の諸点をふまえ、学術情報の生産・蓄積・流通・利用にかかわる国民諸階層—図書館員、情報処理関係者、教員、研究者、学生、学術・文化団体、出版団体、労働団体、住民・消費者団体—と協力連携して運動をすすめていく必要がある」と結ぶ。

この「討議資料」は、大会での第一号議案「国民の要求にもとづく大学図書館の総合的発展をめざして」の一九八三年度の活動方針の補足資料として出されたもので、大会ではこの学術情報システム部分だけは大会決議をしない、という提案が執行部からなされた。つまり、この一年間の『大学の図書館』誌上での論争を踏まえ一応、たたき台として「討議資料」をまとめたが、大会前日の全国委員会で「さらにもう一年かけて議論し肉付けしていこうということになった」。

この急な執行部提案は、手続き上の問題も含めて議論されたが、より重要な問題は、このような総花的な「国民のための学術情報システムの考え方」という執行部の提案では飽き足りない会員が全国委員のなかにも相当数存在していたこと、とくに文部省の予算が付き、機械化が急速に進行している国立大学図書館の現場の混乱の深刻さが顕在化してきたことがその背景にあった。

たとえば、大阪大学附属図書館の茂幾周治はソフト関係の現場の責任者をしている体験を具体的に語り、管理職が「機械のことも、システムの事も、日常業務もぜんぜん知らない」なかで、現場は「超人的な超過勤務を強いられている」と言う。その上、「超勤そのものも、国の予算で決められているので労働対価」ももらえない。その中身は、システムの不備、想定以上の維持費とその不足、その費用捻出のため三年雇用非常勤職員の馘首、システム会社の職員の導入、機械になじまない人の配置替えの横行、和書専門の年配の女性掛長は「機械になじまない」と退職した、すでに大阪大学の職員の半数近くが生え抜きではなく、筑波（大学）などから「輸入」されている、等々。

こんな形で国の政策が浸透しているが、「しかしわれわれ自身がそこで負けてすべて「NO.」とやれば、われわれ自身が配置換えされ、イエスマンばかりつれてこられる」（「第三日・八月二九日全体会」『大学の図書館』第一二〇／一二一号、一九八三年一一／一二月号）。

茂幾はさらに、地域センターとして学術情報システムの一環に加わって一年が経過した大阪大学附属図書館の実態の一端を報告する。

（一）、先にも語っている業務の再編成と人事異動、派遣社員、システム保守要員やキーパンチャーの外注。（二）、人員削減と不当解雇、毎年一名程度の定員削減、非常勤職員（週四四時間勤務）のパート化（週三三時間以下）、二人の女性非常勤職員の三年期限解雇問題。（三）、職業病の発生（頚腕症候、腰痛、視力障害等）。（四）、経費の増大（文部省からのコンピュータ予算では不足なので大学経費から二〇〇〇万円も補填等）。

この四点を挙げて茂幾は、「図書館業務機械化がもたらす、職場での変化や合理化は、我々図書館員に大きな不安と不満をひき起こしている」と記し、「〝利用者のための図書館づくり〟このテーマは、上から押しつけられてやるのではなく、主人公である働く者自身が構築していかなければならない」と言う（「今、阪大図書館で何が起こっているか!?」『大学の図書館』第一二六号、一九八四年五月号）。

茂幾がこのように現場での問題点を具体的に指摘している、まさに同じ時期、同じ大阪大学附属図書館学術情報掛長の伊藤祐三は、『大阪大学の図書館機械化はこれまでにない様々な特徴をもっている」、「本当にすばらしい創意工夫によって様々なことを実現してきた」と自画自賛し、今後の問題点として、「人間と機械の最適化」を挙げている。発表誌が当時学術情報システム推進のほとんど広報誌化されていた『大学図書館研究』だとしても、無神経すぎると言わざるを得ない（「大阪大学附属図書館機械化の現状と問題点」『大学図書館研究』第二四号、一九八四年五月）。

図4-3

〈六〉「国民のための学術情報システム」推進へ

茂幾の発言にあるように学術情報システムがらみの機械化が現場で深刻化するなかで、大図研大阪支部のよびかけで「かみかた機械化研究グループ」が一九八三（昭和五八）年一〇月に発足する。「研究グループ」と称しているように、機械化、学術情報システム化への歴史的背景と現場での問題点を検証し、学生や図書館員への事情聴取、文献目録作成等、地道な成果をあげていると大図研内部では評価される一方、学術情報システムに対する姿勢は、大図研執行部の考えるコンピュータはあくまで手段であり、それに反対するのではなく、利用方法を「民主的」にして活用すべきだ、という。

　このような大図研の姿勢は、第一五回大会（一九八四年八月四日〜六日、立命館大学）でも維持される。第一号議案「大図研一五年の成果に立ち、現場からの大学図書館づくりを」の四「日常業務改善の課題と大学図書館政策づくり」のなかで従来の主張を繰り返す。文部省の学術情報システムの問題点を挙げ、それに対置する「自主・民主・公開の原則を貫」く「国民のための学術情報システム」の構築を目指すというものである。活動方針も従来と同じ諸団体と協力連携するというだけで具体的なものではない。

　さらに「参考資料」として付けられた「かみかた機械化研究グループ」の「文部省学術情報システ

ムへの評価と提言」では、「現時点において少なくとも言えることは、文部省の考えている学術情報システムが大学図書館や研究者の要望を積極的に受入れ、それらの支持のもとに一刻も早く現実化するべきであるということである」と記す（「大学図書館問題研究会第一五回大会」『大学の図書館』第一二八号、一九八四年七月号）。さらに、一九八六年八月には、『文部省学術情報システムへの評価と提言』の改訂版を出す【図4-3】。

さすがに全体会では、議案書に対し、「サービスの向上、労働条件の改善につながるよう全学の総意を結集」や学術情報システムに関しても「関係団体と運動していこうとあるが、そのあたりももう少し具体化し、大図研としても大きく打って出ていく運動を展開すべきだと思う」（尾崎達彦「東大農」）という意見も出た。

しかし、酒井忠志委員長は、個人的な発言と断りながら、学内の労働組合を通しての教員との対話、日本科学者会議所属の教員との協力、日教組への訴え等を挙げるに留まっている。委員長としての「まとめ」でも「基本的な考え方はほゞ一致」しているという（「大図研第一五回大会報告特集」『大学の図書館』第一三〇号（一三一号の誤記）、一九八四年一〇月号）。

以後、第一六回大会（一九八五年）、第一七回大会（一九八六年）と大図研執行部は、「国民のための学術情報システム」推進の方向性を明確に打ち出していく。

その象徴ともいえる論稿が『大学の図書館』（第一二九号、第一三〇号、第一三二号、一九八四年八月号、九月号、一一月号）に載る。鍵本芳雄「「学術情報システム論争」―回顧と部分的近況―序幕終幕つき三幕の悲喜劇――」。

この論稿を要約し、正確に紹介するのはかなり難しい。というのも、執筆者の鍵本が『大学の図書館』の編集・発行人であり、「論争」の当事者の一人であり、かつ山川夏雄や胸永等らに批判以上に中傷された被害者の位置に自らを仕立て、感情的な表現を弄しているからである。さらに、『大学の図書館』誌上だけでなく、『図書館雑誌』、『出版ニュース』、『図書新聞』等で大図研執行部を名指しで批判され、その反論も含めて、大図研執行部の立場を徹底して擁護することに固執しているからでもある。

したがって現在の時点で読み返してみると、学術情報システムへの論理的な批判と論者への感情的反発とが錯綜している部分も多く、第三者にはほとんど意味不明で分かりづらい。じつは私も、この「論争」の当事者の一人であったが、当時の「論争」の雰囲気を現在の読者に理解してもらうのは難しいと思う。

とはいえ、「論争」の論点自体はそれほど難しくはない。鍵本がまとめているように、①広義の学術情報流通体制と文部省「学術情報システム」を区別して考えているか。②研究者の学術情報システム要求を認めるか。③個別電算化と学術情報システムを区別しているか。④大図研は学術情報システムに反対するべきか。

なかでも最大の論点は、④の大図研が組織として学術情報システムに反対の立場を取るべきかどうかに集約できる。鍵本をはじめ大図研執行部は概ね、文部省主導の「学術情報システム」には問題が大いにあるけれども反対するべきではない。修正して民主的な方法で①の広義の学術情報流通体制を整備し、②の研究者の学術情報システム要求に貢献するべきである。その際、コンピュータ化は時代の趨勢であり、またコンピュータは単なる手段であるから、それをうまく民主的に使えばよい、と考えている。

〈七〉反対派の主張――近代科学技術観の相違

一方、反対派は、①の広義の学術情報流通体制が必要だとしても、今、目の前で進行しているのは文部省主導の「学術情報システム」以外にない。この文部省学術情報システムは大図研もいうように独占資本に奉仕し、現場の図書館員（労働者）の労働強化、分断、階層化を促進している。また②の研究者の学術情報システム要求も単に利用者の要求だ、とア・プリオリに認めるべきではない。③の個別の電算化と学術情報システムを区別するにしても、①と同様、現に目の前にある電算化は学術情報システム推進の手段になっている。この強引な電算化のために現場は混乱している。したがって大図研が文部省の学術情報システムを批判するなら当然、大図研は先頭に立って闘わなければならない。

政治的な部分や感情的な部分を出来る限り排除して論点を分かりやすく要約すれば以上のようになろうか。しかし、この論争の背景にはコンピュータ、もっと広く近代の科学技術に対する考え方の相違があったように思われる。

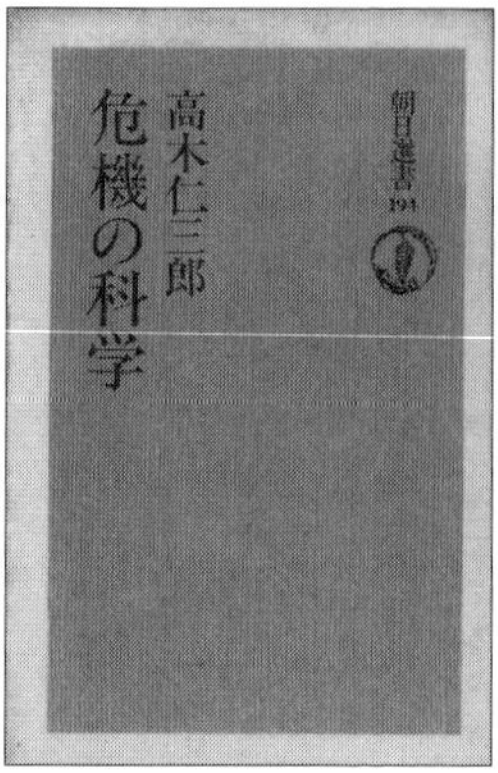

図4-4

その相違が最もよく表れているのが、先にも引用した河田いこひ「大学図書館員と学術情報システム」(前掲『大学の図書館』第一一三号、一九八三年四月号)である。河田は、この論稿で現状分析としては大図研執行部とほぼ同様の見解を示しながら、「いま提案したいのは、「進歩」や「現状」を肯定してしまわないこと」と言い、戦後ずっとある「科学の中立性」という考え方に核のゴミの例を挙げ、「今世紀の人間の手で大量の人工放射性物質を生み出し後世に残していくような原子力研究を中立だとは言えない」と主張する。そして、「生活のすみずみにまでコンピュータがはいりこむ社会では、人間のいとなみの中から、数量化できるものだけをとり出して云々する傾向を生み、ひいては、人間の個性にかかわる部分までをも数量化しようという意図を生む。図書館という、個を最大に生かそうとする運動体が、没個性を旨とするコンピュータ中心のネットワークの節々を占めるようであってはならない理由が、ここにもある」と結ぶ。

近代科学思想に対する河田のような疑問は、一九六〇年代末の全共闘運動のなかで提起された大学批判、科学技術批判と通底するものであった。このような考え方は運動と並行して、広重徹、柴谷篤弘、中岡哲郎、山田慶児、中山茂、宇井純、高木仁三郎などがそれぞれの立場で理論化していったが、従来の「科学の中立性」や「民主的な技術の使い方」とは明らかに次元の異なるものであった。

彼らの産学協同や産官学軍協同への批判は、単に産業界や財界や軍と大学とが繋がっている、という事態に向けるだけではなく、大学の知＝学問それ自体の構造に向けられていった。たとえば、科学史家中山茂は、『科学と社会の現代史』（岩波書店、一九八一年）で、産学協同にくさびを打ち込むためには、従来のアカデミズム科学では有効な武器になり得ないとして、サービス科学という概念を提出していた。アカデミズム科学が科学の論理で、産業化科学が資本の意志や国家の意図に基づいて構築されるのに対し、サービス科学は、市民の利害に沿って行使される、という。

高木仁三郎は、『危機の科学』（朝日新聞社、一九八一年）で【図4-4】、石油危機（一九七八年）を契機として「科学の危機」の時代から「危機の科学」の時代に移行したと捉え、「そこでは科学技術の抱える困難を強力な国家管理のもとに克服することが求められると同時に、その科学技術が国家の危機管理のために積極的に動員されていく」。その結果生まれてくるのが、「予算の配分や行政制度の再編化を通して、科学技術の方向性や科学技術のあり方についての管理が強化され」、「科学技術の研究開発から直接的な利益をひきだそうとする利那主義が一層強まるだろう」。「さらに、大規模な先行投資や安全面での犠牲を正当化するために、「国民の合意」をめざすキャンペーンが強まるだろう。教育面でも「国益」に従順な科学技術者の養成が志向されよう。これらはすべて部分的には進行し始めていることである」。

このような近代の科学技術が必然的に持つ政治性に対して、大図研執行部の科学技術観はあまりにも楽観的であり、従来の科学技術観から一歩も出るものではなかった。したがって同時に、大学観、そこで働く研究者観もまた同様であり、科学それ自体や大学のあり方それ自体を問う姿勢はなかった。

少なくとも、相対化する視座さえもなかった。

その例が「コンピュータは単なる手段である」という言い方に象徴的に表れている。

その意味では、学術情報システム推進を煽る田保橋ら文部官僚たちの方が、同じように「コンピュータは単なる手段である」と考えているとしても、よほど現実的で、当然ながら政治的であった。

さらに反対派が大図研執行部を突き上げたのには、もう一つの大きな理由があった。現実に今、国立大学を中心に学術情報システムは文部省主導で強権的に進行している。有無を言わせない予算措置と職員の分断、非常勤職員の切り捨て等、事実上の組合潰し、合理化は進んでいる。その現状に対してどう取り組むのか、今までと同じ労働組合による職場の民主化闘争では闘い切れないのではないか、という危機感があった。

それは、大阪大学附属図書館の非常勤職員矢崎邦子の三年期限解雇問題に象徴的に表れていた。阪大図書館といえば、先に紹介したように茂幾周治がその混乱ぶりを『大学の図書館』誌上で具体的に記した、まさに学術情報システム導入最先端の現場である。その元凶である学術情報システムに正面から反対しないで、曖昧な姿勢を取り続けることは許されない、という強い思いもあった。やがてその後、矢崎解雇問題を巡って反対派の主要メンバーは独自に現場闘争と裁判闘争に向うことになる。

とはいえ、反対派に学術情報システムに対抗する明確な対案や方針があったわけではない。だから、「ラッダイト運動」とか、鍵本芳雄がいみじくも書いているように「レーニン『左翼小児病』」と揶揄されても仕方がない、とは言える。

当時私も、反対派の一人だったが、学術情報システムについてはすでに、河田いこひと同じような視点で批判していた(「いま、いかなる図書館員が必要なのか―わが国図書館職員の現状と将来―」『現代の図書館』第二〇巻第三・四号、一九八二年一二月。後『図書館という軌跡』ポット出版、二〇〇九年所収)。さらについでながらもう少し付け加えれば、鍵本が触れているように、『図書館雑誌』(一九八四年四月号)に賛成、中間、反対の三人の論者の反対派として私は、学術情報システム批判を「図書館の自由に関する宣言」を軸に綴ったが、いささか不当な取り扱いをされた(と、私も反対派も感じた)。というのも、私の原稿だけが、賛成派、中間派の論者に先に閲覧されていて、同時掲載なのに、他の論稿は私の論稿への批判になっていた。悪い?ことに当時、『図書館雑誌』の編集長の細井五は、大図研の幹部であり、中間派の論者の鍵本芳雄は『大学の図書館』の編集長だった。

この掲載方法に政治的意図を感じた反対派は、他のメディア(『出版ニュース』、『図書新聞』等)で、賛成派の上田修一より、細井と鍵本を徹底して批判、罵倒した。その恨み辛みをぶちまけた論稿が鍵本の「学術情報システム論争―回顧と部分的近況―」であった。したがって、この鍵本論稿には見るべきものはほとんどないし、「論争」自体もそれほど生産的ではなかった。ただ、少なくとも両者の科学技術観、大学観の相違は明確になったとはいえる。その相違は、その十数年前の大学闘争時の旧左翼と新左翼(すべてではない)や、その後の反原発市民派などのエコロジストとの対立と言えるかもしれない。

鍵本の論稿以降、『大学の図書館』誌上での学術情報システムに関する「論争」は反対派が投稿しなくなったこともあり、ほぼ消えてゆく。その後も、山本貴子（英知大学図書館）の「「学術情報システム」の基礎知識」（第一三四号、一九八五年一月号、第一三五号、同二月号、第一三九号、同六月号）を巡ってちょっとしたいざこざもあり、感情的なしこりは尾を引いていた。そして、約一年後、さすがにこのような「論争」に名を借りた互いの感情的な誹謗中傷合戦に対する反省の論稿「これまでの学術情報システム「論争」の反省と今後の希望」が載る。筆者は松井博（中央学院大学図書館）。松井は、自分は「批判的推進論者」だと、立場を明確にしながら、(一)、個人名を挙げた「攻撃」への自粛、(二)、文章の一字一句を取り上げてのケチの付け合いの自粛とお互いの立場の尊重、(三)、編集委員の中立性を挙げている（第一四五号、一九八五年一二月号、一四六号、一九八六年一月号、一五〇号、一九八六年五月号）。

〈八〉非常勤職員解雇撤回闘争の支援問題

ここに、約三年にわたる学術情報システム論争は「論争」としては終止符を打った形になる。しかし、大図研執行部と反対派との感情的な対立の背景にはもう一つ、大阪大学附属図書館の三年期限非常勤職員の解雇撤回闘争の支援問題があった。

先にも少し触れたが、大阪大学附属図書館の茂幾周治は「今、阪大図書館で何が起こっているか?!」（『大学の図書館』第一二六号、一九八四年五月号）で、阪大図書館の職場環境の悪化を記し、「人員削減、不当解雇」として次のように報告していた。

「特に矢崎さん（本館閲覧掛、大図研会員）松村さん（中之島分館受入掛）二名が、八四年三月三〇日で「三年期限付」を理由に、本人の「私は阪大図書館で働き続けたい！」という希望を一方的に無視して不当解雇された事件は、今、大きく学内で問題になっている。職員組合が中心になって館長交渉、総長交渉を数回行ってきたが、当局側は不誠実な態度をとり続け、「継続雇用は出来ない」と他大学で行っている学内措置の努力すらしようとしない。矢崎さんは、最終的には不当解雇撤回を要求して訴訟を行う予定である。この問題は、新聞にも取り上げられ、大きな社会問題として発展しつつある」。

この年（一九八四年）八月の第一五回大図研全国大会（立命館大学）でも矢崎邦子は、大会最終日の全体会で支援要請のアピールを行っていた。当時矢崎は、もう一人の女性（松村）とともにパートから日々雇用職員として五年以上図書館に勤務しており、日々雇用に変更時も三年期限とは告げられず、「がんばって下さい」と祝福されたぐらいだと言う。一九八四（昭和五九）年三月末の解雇後も矢崎は、六月末まで就労闘争を続け、七月以降も阪大内有志による「二人を守る会」がつくられ、精力的にマスコミ等にも情宣活動を続けていた。

当時メディアも「長年つとめてきた臨時労働者がこんなに簡単に解雇されるのは、労基法改悪につながるということで」好意的に取り上げ、「全国二〇万人の非常勤職員の問題」でもあるとして、朝日テレビは七分間の特集まで組んでいた。矢崎はアピールの最後を「私自身はとにかくできるだけ早く裁判に訴え、社会的にも法的にももっと明らかにしていきたいと思う。最後まで頑張るので、大図研の皆さんも御支援をよろしくお願いする」と結んだ（「大図研第一五回大会報告特集」『大学の図書館』第一三〇号、一九八四年一〇月号）。「二人を守る会」の連絡先は大図研大阪支部長の茂幾周治であった。

一九八五（昭和六〇）年三月二二日、矢崎邦子は、三年期限付解雇は不当、地位確認と賃金支払いを求めて、大阪地裁に国を相手に提訴する。その提訴を巡って、当該の矢崎と、阪大労組執行部との今後の方針の対立から「二人を守る会」も大図研も手を引いていく。その経緯を茂幾は「矢崎邦子さんの提訴について」（『大学の図書館』第一三八号、一九八五年五月号）で概略以下のように記している。

一九八三（昭和五八）年一〇月から、組合側と図書館当局とで交渉を続けた。矢崎と松村の不当解雇反対の署名活動、実質解雇となった一九八四（昭和五九）年四月一日からは約二か月間の出勤闘争、五月からは「二人を守る会」を結成し、より広範に組合内外、他大学の仲間にも訴え、支援闘争を展開した。

一九八四（昭和五九）年一一月にようやく、当局が出した回答は、①この一一月または一二月から三か月を目途に学内（大阪大学）のたとえば退官記念事業会などで雇用を確保する。②この雇用期間満了後、来年（一九八五年）三月末までに学外での雇用を確保する。この雇用は（社会保険加入資格を有する）安定した国公私立大学関係を原則とする、というものであった。

この回答を巡って組合執行部は当該二人と何度も話し合ったが、意見の一致を見なかった。組合は、当局の回答は不十分だけれども一定の前進であり、この当局の提案を今後の交渉のなかでより充実したものにする方針を示したが、矢崎は、「あくまで継続雇用を要求する。そのため裁判も辞さない」と主張する。さらに単独で、総長や事務局に抗議文を出したり、抗議電話を掛けたり、組合を「御用組合」呼ばわりする中傷ビラを撒くなどした。裁判闘争も今の組合の力量では困難として、何度も組合執行部は説得を試みたが、矢崎は聞く耳を持たなかった。「二人を守る会」も組合執行部の判断を妥当として、一九八五（昭和六〇）年四月二七日に総会を開き、解散した。

以後矢崎は、学内外の支援者とともに「矢崎さんの裁判闘争を支援し不当解雇を撤回させる会」を結成して、困難な裁判闘争と大阪大学への抗議行動を展開していく。

学術情報システムを考える会の活動

〈一〉会の発足─明確に学情に否を

「学術情報システムを考える会」は、一九八三（昭和五八）年四月三〇日、大阪の中之島公会堂で開かれた「学術情報システムを考える集会」を主催した追手門学院大学図書館職員の有志の中から生まれた。集会への呼びかけ文で実行委員長の沢田容子（追手門学院大学図書館）は、なぜ、「学術情報システム」に反対するのか、を大要次のように語っている。

「資源共有」を大義名分とした「学術情報システム」が一九八一（昭和五六）年の全国図書館大会での田保橋講演で、その本質が「産学協同」と「大学図書館の国家管理」であることが明確になった。これは日本図書館協会が図書議員連盟と連携して推進しようとした図書館事業基本法状況と連動する。

それは同時に労働現場を無視した大学図書館のコンピュータ化である。大学事務の機械化は企業と比べると「一五年以上」遅れているとかで最近は「社会的趨勢」論が幅を利かせている。が、その流れは労働の質を確実に変えていく。とすれば、「学術情報システム」に私たちがどう、向き合うかは、大学図書館で私たちがどう、生きるか、という問題に匹敵する。「大学あるいは大学図書館は、国家・資本への奉仕ではなく、民衆への奉仕を目的として存在すべきであり」、「まずなによりも地域住民に開かれてあることを目差すべき」である。

このような問題意識を基に「学術情報システム」を自分たちの労働現場、図書館現場で考えていこう、ということなのだが、集会実行委員会の事務局長の胸永等によれば、直接の運動としては、反コンピュータ闘争として大学図書館現場で闘っていくという方向を目差す、という。

この集会の講演は三本。剣持一巳が「コンピュータと学術情報システム」、尾崎ムゲンが「八〇年代大学政策と知識・情報の国家管理—共通一次と放送大学—」、木村隆美が「社会的個体がコンピュータを変革する—図書館事業基本法状況と学術情報システム—」を話している。当時剣持は「コンピュータ合理化研究会員で『技術と人間』などで反コンピュータの論陣を張っていた。尾崎は若手の教育研究者。木村は横浜市の公立図書館員（以上『コンピュータ・大学・図書館—学術情報システムを考える集会（一九八三・四・三〇）報告集—』学術情報システムを考える集会実行委員会、一九八三年）【図5-1】。

この集会の成功（参加者は七六名）を踏まえ、学術情報システムを考える会は発足する。機関誌『学

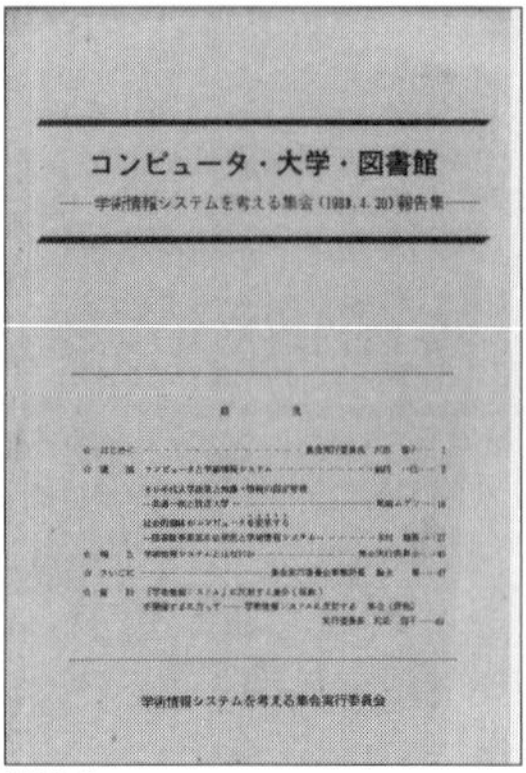

図5-1

術情報システムを考える会・会報』（以下『会報』と略記）の第一号は翌一九八四（昭和五九）年八月五日に発行、B五判八頁。発行元の事務局は追手門学院大学図書館内に置かれている（注1）。

（注1）『学術情報システム考える会・会報』は、第一号（一九八四年八月二五日）から第五号（一九八五年四月二五日）まではワープロ活字印刷。第六号（一九八五年九月一四日）から最終の第二四号（一九九〇年一月二〇日）まではずっと意識的に手書き（沢田容子、河田いこひ、池野高理、宮崎俊郎）による印刷を選択している【図5-2】。第八号（一九八六年二月五日）の「編集後記」に「コンピュータ活用論者の主張は、不当に解雇された矢崎さんを切りすてた阪大教職祖の態度に通じる」として、「私たちは、コンピュータ・システムに組みこまれ縛られて心身の健康を害してしまった人はもとより、大きな目的のために苦痛を強いられがまんさせられているすべての個人とともに、矢崎のたたかいを支持し支援していきたい」と記されている。第一三号（一九八七年三月一六日）から第二四号（一九九〇年一月二〇日）までの「学術情報システムを考える会」の事務局発行所は第一二号（一九八六年九月二六日）までの追手門学院大学図書館内から大阪府茨木市の山川夏雄宅になっている。ところで、『会報』には毎年律儀に会計報告が出ている。たとえば一九八八年の会費収入は五万七〇〇〇円（年会費一〇〇〇円）。運営費一六万円。カンパ一七万三六四六円等で収入は約四七万円。支出は通信費二一万四五四〇円。印刷費

五万二六〇〇円。紙代一万四一五〇円等で約三八万円。翌一九八九年の会費収入は一一万八〇〇〇円。運営費九万円、カンパ一万八〇〇〇円等で収入は約三四万円。支出は通信費一一万三六三円。印刷費二万一一五〇円。紙代一万三〇七五円等で支出は約一九万円。だが、主要メンバーの活動費は手弁当、さらに運営費等には期末手当などからかなりの持ち出しがあったことは間違いない。発行部数は最盛期で約二四〇〜二五〇部だった。☆

ちょうどこの年は、ジョージ・オーウェルの反ユートピアを描いたSF未来小説『一九八四年』【図5-3】と同じ年を迎えており、一〇月に予定している集会の「よびかけ文」で「学術情報システムのことを考えると、例えば、オーウェルの『一九八四年』の世界が、既に、SFのものではないと実感されてくる。頼みもしない産業構造の転換と勝手な技術立国の喧伝の中で、大学、図書館が、今、試されようとしている。だが、日本の歴史の中で、本が、その中身がどれだけ民衆のものになっただろうか？そうした問を置き忘れて、大学が、図書館が、コンピュータに酔って上昇志向をつづける」と記している。

学術情報システムを考える会・会報

学情Sを現場から批判する—7·13–14 集会報告

図5-2

『会報』第一号の主な記事内容は、東工大図書館A生「『学術情報システム』をめぐる最近の動き」、東大図書館AT生「学術情報システムをめぐる東京大学の動き」。どちらも文部省が指定した大学図書館での渡り鳥官僚といわれるキャリアの事務部長と館長（教授）との合作による現場の意思を無視した強引なコンピュータ化の予算措置による実態の報告。両者とも視点は、コンピュータ化による合理化と、労働の質の変化、分断等、労働問題に重点が置かれていて、職能団体である大図研とは明らかに視点が異なっている。

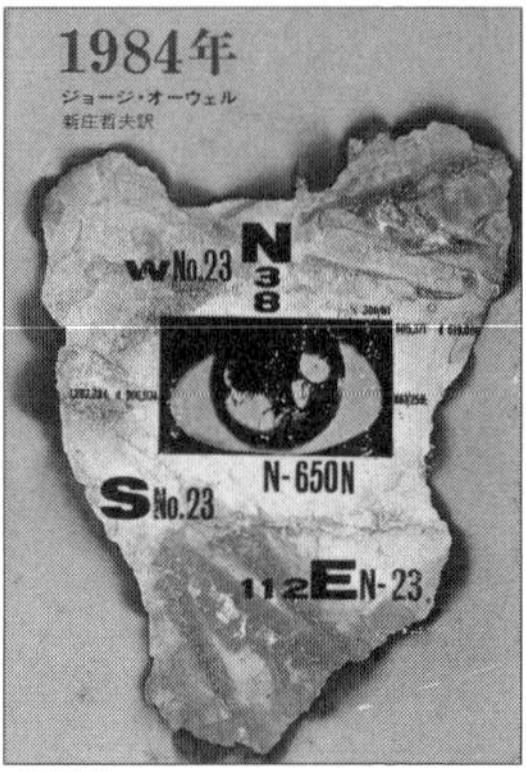

図5-3

だから会員も大学図書館職員のみならず、反合理化、反コンピュータ、ウーマンリブ、反差別、学生運動等、さまざまな人びとがそれぞれの思いで参加していた。むしろ大学図書館員は少数だった。とくに当初は矢崎支援と反学情との関係から学生の参加も多かった、ように思う。

以後『会報』は不定期ながら一九九〇（平成二）年一月発行の二四号まで続く。この間、先に記した関東中心の「図書館事業基本法に反対する会」、「図書館労働者交流会」とともに、というより、主要なメンバーは重複しているのだが、毎年秋に開催される全国図書館大会への情宣、分科会への介入と夜の独自集会の開催などに取り組んでいった。

一九八四年（昭和五九）年一〇月二六日～二八日には大阪での全国図書館大会に並行して大阪府立労働センターで「学術情報システムに反対する集会」（二六日）【図5－4】【図5－5】、「いま図書館に何が問われているか―現場からの反撃・集会'84―」（二七、二八日）【図5－6】【図5－7】。どちらの集会も参加者は一〇〇名を越え、前者の集会後にはデモ行進まで行った。

翌一九八五（昭和六〇）年七月一三日には東京（学士会館）で「学術情報システムの問題を現場から

考える研究討論集会」。一一月一日には大阪で「本の中に、図書館の中に、日常の中に―いま、もうひとつのとしょかんを求めて―」という講演会を開催する【図5-8】。講演者は、飯沼二郎（京都大学名誉教授）「市民運動と図書館」、岡村敬二（大阪府立図書館）「図書館意志論」。一一月二三日には東京で「現場からの反撃・集会'85」テーマは「情報化社会と図書館―誰のための図書館か―」【図5-9】【図5-10】【図5-11】。

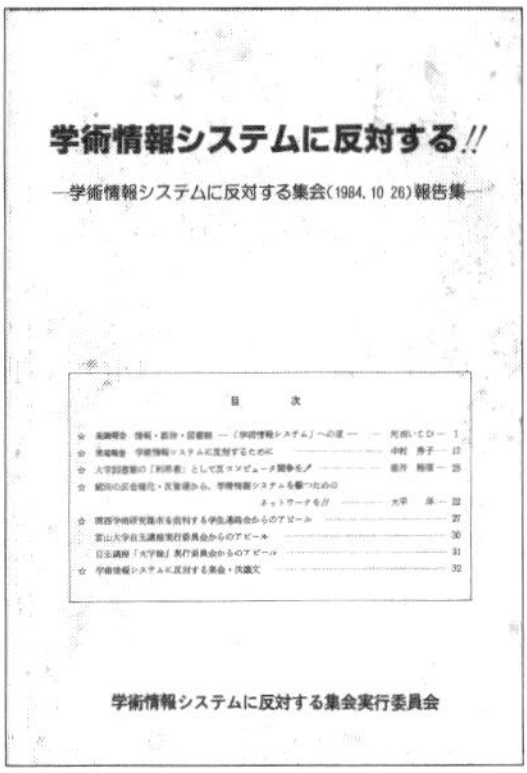

図5-4

図5-5

一九八六年（昭和六一）年二月一日には、大阪で剣持一巳の講演。一〇月一九日には東京での「学術情報システムを図書館の現場から考える第二回東京大会」は東大図書館の現場からの報告、公共図書館からは臨調・行革問題。一一月二三日～二四日は大阪で「本は自由だ！いまこそ、「反対図書館」を！―現場からの反撃集会'86」等々、大規模（一〇〇人程度）な集会を年に一、二回、小規模な学習会や集会は毎月のように開いていた。同時に、学術情報システムが推進されるなかで、三年期限で馘首され、地位保全を訴える大阪大学附属図書館の臨時職員矢崎邦子への支援闘争にも積極的に参加していた。

図5-9

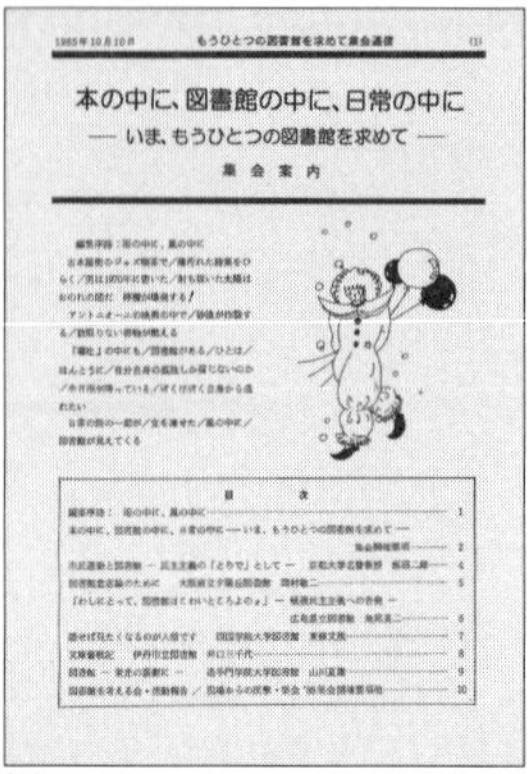

図5-8

図5-6

図5-10

図5-7

〈二〉図書館現場の混乱と臨職切捨て

したがって、『会報』の内容は集会での講演や発言を文章化したものが多いが、学術情報システムが推進される国立大学図書館の実態報告が目につく。

たとえば、東京大学総合図書館職員組合の河村宏は、一九八三（昭和五八）年の秋に図書館の事務部長から突然、「図書館にコンピュータを入れたい」と言われ、まともな学内審議を経ないで概算要求が決まった。つまり現場の事情を一切無視したコンピュータ導入で、その担い手は文部省から派遣されてくる部課長の業績作りで決まっていくと述べる。だから、各大学の図書館現場で目的合理的に考えて、コンピュータ化を考えるよりはむしろ、学術情報システムは強迫観念に駆られて電算機を導入するところの方が意外にうまくいく。このような文部省主導の学術情報システムに抗して、組合は「図書館」にあえてこだわっていきたい、という（「学術情報システム地域センター化について」『会報』第三号、一九八四年一〇月）。

　この時期、東京大学文献情報センターでは、当局に指名されたワーキンググループがひたすらデータ入力作業に没頭し始めていた。しかしこのような作業は、東大の図書館が長年抱える課題解決の方向とはまったく異なっていたし、何より、有無を言わせない強引な機械化に対して現場の図書館員たちの多くは反発した。じっさい、職員組合は概算要求撤回闘争に取り組み、社会科学関係図書の拠点校に指名された、一橋大学図書館では拠点校返上運動も始まっていた【図5-12】。

　このような運動の背景には、国立大学の定員削減政策により、ただでさえ増える業務量に対処するための過重労働、定員外職員や非常勤職員の増加、その切捨て、コンピュータ導入によるOA災害等が立て続けに図書館現場に押し寄せていた事実があった。

図5-11

　「学術情報システムを考える会」は、その象徴的存在ともいえる大阪大学附属図書館の矢崎邦子の三年期限解雇撤回闘争を学術情報システム反対闘争のなかに大きく位置付けていた。というのも、前章で述べたように、大阪大学附属図書館は学術情報システムの地域センター館に指定されてから急速な機械化が進行し、現場は混乱の極みに達していた。図書館の混乱は大阪大学

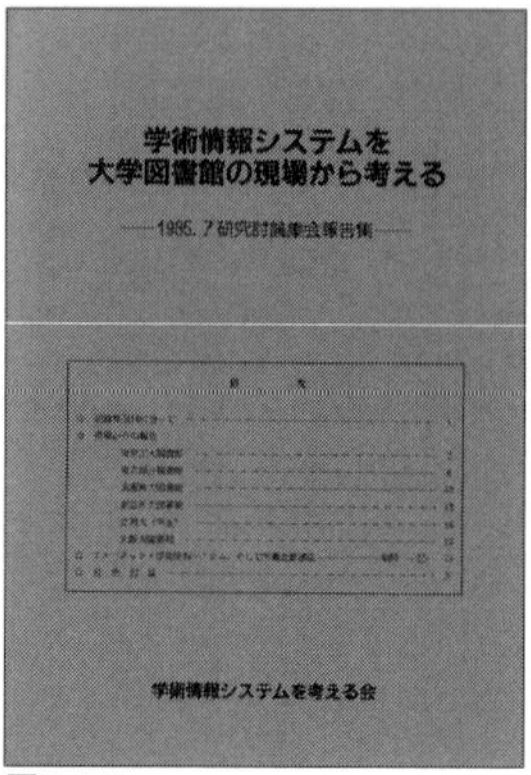

図5-12

のみならず、国立大学ではどこでも臨調・行革で、正規職員の定員削減、フルタイムの日々雇用の職員の「三年期限」という法的根拠のない解雇、それに代わるパート職員や派遣職員という労働条件のより悪い人への首のすげ替えが強行されていた。当時、国家公務員関係だけでも矢崎のような臨時職員は二〇万人以上が存在し、一年契約を毎年更新する（矢崎の場合は五年）という脱法行為に近い慣例が常態化していた。まさに、「資源共有のため」という学術情報システムの、その足元で、労働者の働く権利を無視した国家の意思が貫徹されようとしていた。

したがって、『会報』には何度も矢崎闘争が出てくるが、第九号（一九八六年三月）は、一九八六（昭和六二）年二月一五日に開かれた「大阪大学の定員外（臨時）職員「三年期限」解雇を許さない二・一五全国総決起集会」の報告。大阪大学附属図書館での抗議行動に約一〇〇名、午後からの交流集会には約一四〇名もの労働者や学生が参加している。

じっさい、文部省の強引なコンピュータ導入による図書館現場の混乱は苛烈を極めていた。電算化推進政策は、地方の国立大学にも及び、一九八八（昭和六三）年度中には全国立大学図書館にコンピュータ導入を決定する。一橋大学では教授会が反対したにもかかわらず、一九八四（昭和五九）年から社会科学系の外国雑誌センターに指定され、その雑誌も教授会が選定した哲学・歴史・政府刊行物のいくつかは文部省が一方的に除外するという、従来の「大学の自治」さえ簡単に乗り越えられていった。

一九八六（昭和六一）年から地域センターとして業務を開始した北海道大学図書館では図書館職員に進行状況はほとんど知らされず、本館の学術情報課では、休日出勤や午後九時、一〇時までの超過勤務が恒常化し、病人も複数でている。しかも手当の全額は保障されていないという。文部省は他大学の雑誌予算を削って外国雑誌センター館に付けるという方法で大学間格差を広げている。このような各大学図書館の実態を報告した筆者は、「学術情報システムを推進して行くことと、図書館員が利用者にサービスすることは、実は別のことであり、先ずそのことを明確に捉える必要があります」と言う（中村秀子「「学術情報システムを図書館の現場から考える」第二回東京集会を開催するにあたって」『会報』第一三号、一九八六年一一月）。

同じく、東京大学図書館職員組合は「学術情報システム　露呈して来たお粗末さ」と言う見出しで出版関係の情報紙『新文化』（一九八六年一二月四日）に東大図書館の現場の実態を報告している。中身は「既存体系とは不整合」でハングルや中国語、アラビア語など「入力できない言語」も多々ある。「質を捨てて量に転換」していると言えるが、はたして役にたつのか。職員もアルバイトが増え、「むしろサービス低下」に陥ると言う。

とはいえ、このような問題点の指摘や批判は、その時点では説得力はあってもやがて技術の改良や進歩でそのうちに改善されていく。事実、一〇年後にはかなりの程度改善されて、国立大学だけではなく、公立、私立大学、短大まで含めて学術情報システムの傘下に入っていく。

ただ、反対派はもちろん、懐疑派、民主化派も含め、推進派さえもそれほど速くコンピュータの技術的進歩が実現出来るとは考えていなかった節がある。むしろ、学術情報システムの強引な導入は、後に中曽根康弘（当時の首相）が告白したように国鉄解体と同じく、臨調・行革の主眼である官公労を含む総評（労働組合）潰しの手段の一つであった、と言えるかもしれない。

〈三〉五年間の活動のなかで

いずれにしても『会報』には、コンピュータが導入された図書館現場の報告や矢崎裁判の経過、集会案内、その報告等が記されていたが、「学術情報システムを考える会」は、一九八八（昭和六二）年一一月、『巨大情報システムと図書館』（技術と人間、一九八八年）**【図5－13】**という一冊の図書を上梓する。本書は、一九八三年に結成された同会が五年間の活動のなかで行ってきた問題提起をまとめたもので、学術情報システムと図書館との関わりが主な内容だが、より広く国家の科学技術政策＝テクノナショナリズムを問う、という問題意識に貫かれている。

「はじめに」で編者の一人宮崎俊郎は、同会の運動を、①教育—大学再編に抗する闘い、②図書館を中心とする労働現場をめぐる闘い、③科学技術立国化に対する闘い、と位置付けている。このような「壮大な闘い」は、その主張が間違っていないとしても、当時も現在も「展望」が見いだせないことは明白である。そのあたりを第一章「巨大情報システムとテクノナショナリズム」で吉田智弥は的確に記している。

「実際私たちの改良闘争はほんの少し持続的たらんとし、ほんの少し根底的たらんとした途端に、例外なくいつでもこの国家を支えている制度・各種の「管理・情報システム」のあり方とすぐさま全面的に衝突するくらいに、私たちの住むこの社会はすでに底が浅くなったというのが私の実感である」。だから個々の改良闘争は、結果的には「管理システム」の整備と強化、その延命に手を貸すことになる。残るのは「途方もない疲労と無力感」でしかないが、であればこそ、「いまそこに組みこまれて無言の呻吟をくりかえしている自分たちをありのままに対象化することであり、それと併せて、支配の側のアキレス腱の具体的中身を明らかにしていく作業の筈である」。

その「具体的中身を明らかにしていく作業」が第二章から第七章である。第二章「科学技術政策と図書館」は、戦後日本の科学技術政策を大学図書館との関係で概観する。第三章は、公共図書館を中心に戦後の図書館政策を概観する。第四章「欠陥だらけの目録電算化—東大図書館の場合—」は、副題にある通り一九八六（昭和六一）年一月現在での東大図書館の目録電算化（ＯＰＡＣ）の欠陥を詳細に記している。

図5-13

今から見れば、そのほとんどがコンピュータの能力不足による技術的欠陥であり、カード目録からＯＰＡＣへの過渡期の混乱に過ぎないと言えるかもしれない。しかし、何度も言うが当時、コンピュータ導入の強引さと拙速、秘密主義の横行により現場は混乱の極みに達していた。約三年で各大学図書館を異動する役職者の関心は予算の期限内消化であり、「長期的に見てその図書館に最適の成果を残す」という方向には向いていない。

同じことは「不安と矛盾の中の電算化」の東京外国語大学図書館にも当てはまる。とくに東京外大の場合は小規模図書館で、かつ多種類の言語を扱う関係上、事態はより複雑で現場の図書館員の悩みは深刻であった。

第五章「科学技術立国と大学」は、現在に至る大学の産官学協同路線の顕在化の過程を概観する。第六章「大学の研究室から」は、動物実験を繰り返す研究者が研究者としての存在を対象化する視点の必要性を説く。そして第七章「学術情報システムの現在、未来」は、戦後の図書館運動の延長線上からは学術情報システムに対抗する有効な方法は見いだせない、と指摘し、大衆への奉仕＝資料提供の意味を再度問い直す視座の必要性を説いている。

〈四〉学情が既成事実化するなかで

本書刊行後、「学術情報システムを考える会」は一九九〇（平成二）年に「巨大情報システムを考える会」に改称する。具体的な運動の対象である学術情報システムが個々の現場での矛盾を抱えながらも、文部省の強権的な政策と予算措置によって着々と進展するなかで、会の活動は、『会報』の発行と会員間の議論が中心となり、運動としてはほとんど展開できなくなっていく。会の名称も、より抽象的、理念的な「巨大情報システムを考える会」に改称されたのも一方では、このような運動の低迷を反映している。

会の名称が「巨大情報システムを考える会」に改称された『巨大情報システムを考える会・会報』(以下『新会報』と表記)の第一号(一九九〇年六月一五日発行)で東條文規は、大学図書館問題研究会(大図研)の「学術情報システムの一〇年と今後」(一九九〇年一月二〇日~二一日、於大阪)という集会に参加した報告を次のように記している。

この一〇年は、「幻想の目的のために、徹底して手段が目的化された過程だといえる」と総括し、すでに若い図書館員には学術情報システムは所与の「手段」として批判の対象にはならない。それこそがこの一〇年間の「成果」であると逆説的に言う。そして「大図研が提唱している「国民のための学術情報システム構想」もある程度は取り入れるというかたちで進行することが予想されます。コンピュータの発達によって当初考えていたような露骨な一元的支配ではなく、もっとソフトな、支配されているのか、いないのか、本人自身もよくわからないような巧妙な支配が、つまり自分で自分の首をいつの間にか絞めている、絞めざるを得ないような事態になるような気がします」と言う(「思考様式の問い直し作業を―大図研「学術情報システムの一〇年と今後」研究集会に参加して―」『新会報』第一号、一九九〇年六月一五日)。

この『新会報』は不定期ながら第一三号(一九九五年)まで継続する(注2)。

（注2）『巨大情報システムを考える会・会報』の第一号（一九九〇年六月一五日）から第三号（一九九〇年一一月一五日）までの事務局発行所は先の山川夏雄宅。第四号（一九九一年二月一五日）から最終の第一三号（一九九五年、月日は不明）までは横浜市南区の宮崎俊郎宅になっている。手書きは最後まで継続している。☆

中身は、従来からの矢崎闘争の裁判経過報告と大学図書館の現場の実態報告が主なものだが、今後の会のあり方も模索されていく。と同時に、コンピュータ利用の可能性やそれに伴う労働観の相違といった理念的、価値判断的な色彩の濃い論稿が増えていく。池野高理（大阪経済大学教員）と小倉利丸（富山大学教員）との「労働」概念をめぐる論争（第一〇号、第一三号）などはその典型だが、また前身の「学術情報システムを考える会」の結成当時の運動を担った人たちの回顧談も載っている。

東工大図書館に一九六二（昭和三七）年から勤務し、一九八八（昭和六三）年に定年退職した中村秀子の「『学術情報システムを考える会』結成の頃」（第一二号）、東京大学総合図書館の大竹多聞「定年退職しました」（第一三号）、追手門学院大学図書館の沢田容子「学術情報システムを考える会創立期のことなど―サワダさんに聞く」（第一三号）、同じく追手門学院大学の山川夏雄「反学情の運動創立期と現在」（第一三号）。

これらの所論を読むと、「ひたすら効率性を求める志向は、何も権力の側に限るものではなく、私たちの回りにも根のようにはびこっているのを、逆に強く実感させられる」（山川夏雄）この一〇年間であったことが、よく分かる。「現場の人たちが日常最も肌身に感じている矛盾は、コンピュータに習熟しなければ仕事にならず、習熟すればする程合理化、管理化に手を貸す結果となる、だからと言ってコンピュータを拒否すれば職場の落ちこぼれになって行く、という」（大竹多聞）、まさに蟻地獄にはまり込む事態であった。そして、矢崎邦子の裁判が地裁、高裁の敗北を経て、大衆的な運動も組めなくなってきていた。

一九九五（平成七）年末発行の最終号（第一三号）に会の主宰者の一人宮崎俊郎は、「最終号を発行するにあたって」で、概略次のように記している。

一九九〇（平成二）年に会の名称を改称し、再出発したが焦点を結べなかった。学術情報システムが実体化してからほぼ一〇年が経って、研究室のインターネットは定着した。インターネットが運動側の武器になるという議論もあるが、未だ我々の議論では迷宮の中にある。会としては今後「不特定多数の読者に行きわたる可能性をもつ「本の刊行」という道を選択した」。

図5-14

〈五〉「変貌する大学」全五冊の刊行

この本は『会報』最終号発行前にすでに、シリーズ「変貌する大学」（社会評論社）と題して一九九四年に第一号『不思議の国の「大学改革」』【図5-14】、一九九五年に第二号『国際化と

「大学立国」―あるいは「真理教」五〇年目の収支決算―』の二冊が刊行されていた。以後、第三号『学問が情報と呼ばれる日―インターネットで大学が変わる!―』(一九九七年)、第四号『〈知〉の植民地支配』(一九九八年)、第五号『グローバル化のなかの大学―根源からの問い―』(二〇〇〇年)と全五冊を刊行するに至る。編集は「巨大情報システムを考える会」になっているが、実質は胸永等、池野高理、宮崎俊郎の三人。その他各号にそれぞれ協力者がいるが全五冊を通して三人が編集の主体であった。

このシリーズは当初の予定通りほぼ年に一冊刊行で二〇〇〇(平成一二)年に終結する。「学術情報システムを考える会」発足から約一五年、文部省が学術情報システムを提唱し、会がその危険性と問題性、そこから派生する差別性を指摘し始めてから約二〇年が経過していた。すでにどこの大学でも学術情報システムは自明のものとして存在している。反対するも何も、研究者はこのシステムを使わなければ仕事にならないし、図書館現場もそうである。コンピュータ社会を批判する視座は、観念的か理念的なものにしかならない。かろうじて現状の大学を批判的に相対化するための問題提起になれば、と考えるぐらいかも知れない。

ずっと会の中枢を担ってきた胸永は、全五冊の最終号(『グローバル化のなかの大学』)に寄せた「いま『変貌する大学』を問う―シリーズ完結に当って―」で「対抗的両義性を生きると言わざるを得ない」として総括的に記している。

「大学は既に「競争的環境」に置かれており、否応なく「個性輝く大学」であるべく運命づけられてしまっている。これもまた大学が惰眠をむさぼり続けた帰着点であるに違いない。そして、大学審議会がその戦略的骨格としている、教育研究における「高度化」、高等教育の「個性化」、組織運営の「活性化」という三本の柱が取り囲む中で、その両義的性格を生きる以外にその術はないであろう」と言う。そして、P・ブルデューの「教育というものは恣意的な権力による恣意的な文化の押し付けである限りにおいて一つの象徴的暴力である」を引いている。

胸永が「対抗的両義性を生きる」と記してからまた二〇年が経って、私（たち）は「歴史」を書いているのだろうか。

第六章

図書館を考える会の活動

〈一〉差別問題とワープロ論争

図書館を考える会は、一九八四（昭和五九）年一〇月二七日〜二八日に大阪で開かれた「学術情報システムに反対する集会」と「いま、図書館に何が問われているか—現場からの反撃・集会」を契機に、その集会主催者や参加者が中心になって発足した。『図書館を考える会通信』（以下『通信』と略記）第一号（一九八五年四月）【図6-1】は、会結成の趣旨を「自分たちが関わり、関心をもっている図書館の現実を伝え、さらにその図書館をどんな風に変えていきたいと考えているかを楽しく語りたい」と言い、「図書館を考えるに当って」、「図書館をリアルに見ること」と「図書館に夢を復権させること」、この二つを心掛けたいと記した。

会は七人の運営委員で運営し、事務局は、大阪府吹田市の沢田容子宅に置く。沢田は追手門学院大学の図書館員で、『通信』の発行元を兼ね、第一九号（一九八七年三月）まで掲載原稿をずっと沢田一人が手書きで書き続けて行く。第二〇号（一九八七年五月）からは発行元を大阪市福島区の太田俊男（吹田市立図書館員）宅に置き、第七五号（一九九四年六月）まで、多くは太田の手書きで発行し続けた。発行部数は学術情報システムを考える会の会報とほぼ同じの、約二三〇〜二四〇部だった。

会の趣旨は、「図書館の現実を見て、図書館に夢を」というものだが具体的には当面はコンピュータ問題に焦点を当てていく予定。特に「図書館の自由」の問題と広島県立図書館の図書破棄事件が図書館界に投げかけた問題を扱うという。

一見、すぐには結び付かないように思われるが、会発足の契機となった先の二つの集会では、学術情報システムのコンピュータ化が最大のテーマであり、もう一つは、一九八四（昭和五九）年七月に明るみに出た広島県立図書館の部落問題に関係する図書の破棄事件（注1）。この二つが参加者に強いインパクトを与えていた。

（注1）広島県立図書館の図書破棄事件についてはさまざまな立場からいろんな意見や主張が入り乱れ、概括するだけでも難しいが、日本図書館協会図書館の自由に関する調査委員会編『「広島県立図書館問題」

に学ぶ「図書館の自由」——『長野市史考』の経験を踏まえて——』「図書館と自由」第7集（日本図書館協会、一九八五年）が図書館としての基本的立場を示したものといえる。同じく『図書館の自由に関する事例33選』「図書館と自由」第14集（日本図書館協会、一九九七年）も参考になる。なお後者には本章で触れている『ちびくろサンボ』、「富山県立図書館の『図録』非公開」事件についても図書館としての基本的立場が示されている。☆

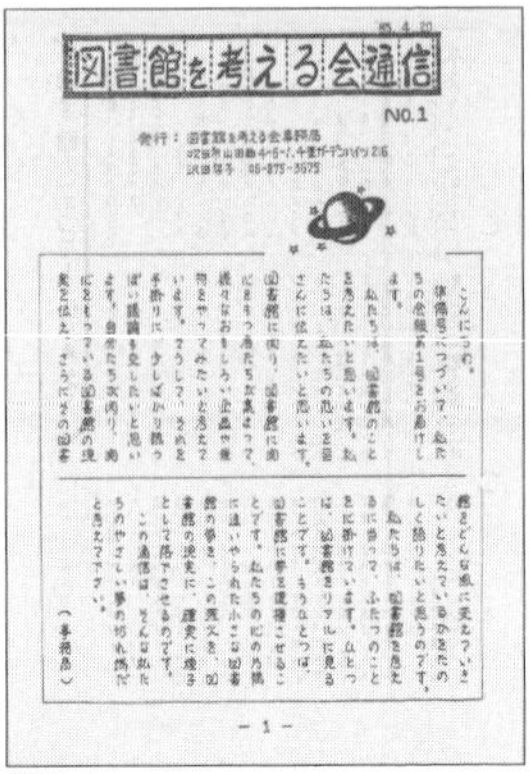

図6-1

コンピュータについては、再三指摘しているように、文部省主導の学術情報システム推進の下、国立大学を中心に機械化が強行されていた。公共図書館でも新館開館時の導入から既設館の導入へと進み、都道府県立図書館では目録の電算化、コンピュータ・ネットワーク構想が現実化の方向にあった。図書館界の支配的雰囲気も「時代の波＝情報化社会に乗り遅れるな」、「コンピュータの有効利用を」という流れに掉さしている。とはいえ、当時はまだ、技術的問題も含め、コンピュータ化の欠陥や弱点は現場の随所で露呈しており、コンピュータ操作に関わる職業病も無視できない状態にあった。さらに、矢崎邦子臨職解雇事件のように、合理化問題とも密接に結びつく極めて現実的問題であった。

会の中心的メンバーは、「学術情報システムを考える会」や「図書館事業基本法に反対する会」「図書館労働者交流会」のメンバーとほぼ重複しており、図書館に対する考え方はそれぞれ異なっているとしても、大枠のところではそれほど違っているわけではなかった。国の図書館政策に対しては、原則断固反対。日本図書館協会、図書館問題研究会、大学図書館問題研究会等に対する姿勢は、問題によりまちまちだが、組織としての立場の明確化を迫ることが多かったように思う。だから、会としての自分たちの姿勢は、異議申し立て、問題提起が多く、対案という形で具体的に取り組むということは少なかった。そのあたりを、『通信』に掲載された論稿から見て行きたい。

広島の定時制高校の教員として部落解放運動に長年携わってきた滝尾英二（広島県立図書館）は、広島県立図書館の部落問題に関する図書の破棄事件に触れて、日本図書館協会、図書館問題研究会のいわゆる図書館専門家集団の部落問題への姿勢を厳しく批判する。「行政の指示はそのまま聞いてはいけない」。「部落解放運動からの指摘は、図書館への期待をあらわしたものであり、ありがたいものとして受取る必要がある」と言い、「図書館と部落住民との信頼関係をつねに保つ必要がある」と問題提起する（「ひろしまは何を問いかけているのか？」『通信』第二号、一九八五年）【図6-2】。

学生時代の公安事件の前科により遡って失職処分され、裁判闘争中の内藤進夫（元兵庫県立図書館）は、滝尾の問題提起に反応して「様々な〝ひろしま〟を告発する―兵庫県立図書館の場合―」を書き、「図書館員が行政に率先して情報を非公開にするなどのことが平然とおこなわれているのだ、これを図書館と呼べるか」という（『通信』第三号、一九八五年一〇月）。

室伏修司（親和女子大学図書館）「書くことについて―コンピューター（ワープロ）とミニコミ―」（『通信』第四号、一九八五年一〇月）と木村隆美（横浜市鶴見図書館）「「ワープロ反対」に異議あり」（『通信』第五号、一九八五年一二月）から始まった「ワープロ論争」は、図書館員以外から何人もの論争参

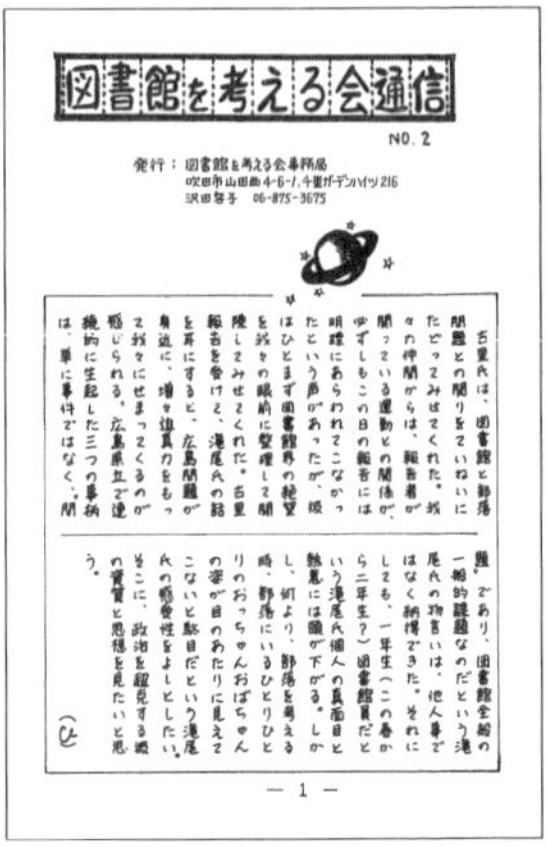
図書館を考える会通信
NO. 2
発行：図書館を考える会事務局
吹田市山田西4-6-1,千里ガーデンハイツ216
沢田智子　06-875-3675

古里氏は、図書館と部落問題との関りをていねいにたどってみせてくれた。我々の仲間からは、報告者が関っている運動との関係が、必ずしもこの日の報告には明確にあらわれてこなかったという声があったが、彼はひとまず図書館界の絶望を我々の眼前に整理して開陳してみせてくれた。古里報告を受けて、滝尾氏の話を耳にすると、広島問題が身近に、増々迫真力をもって我々にせまってくるのが感じられる。広島県立で連続的に生起した三つの事柄は、単に事件ではなく、問題であり、図書館全般の一般的課題なのだという滝尾氏の物言いは、他人事ではなく納得できた。それにしても、一年生（この春から二年生？）図書館員だという滝尾氏個人の真面目と熱意には頭が下がる。しかし、何より、部落を考える時、部落にいるひとりひとりのおっちゃんおばちゃんの姿が目のあたりに見えてこないと駄目だという滝尾氏の感受性をよしとしたい。そこに、政治を超克する眼の資質と思想を見たいと思う。
(ひ)

— 1 —

図6-2

加者が出てくる。

そして、会は、『はじまりの中の反ワープロ』（一九八六年九月）【図6-3】という小冊子まで発行する。筆者は、山田國廣（大阪大学工学部教員）「ワープロをどうとらえるか―三・七、図書館を考える会・学習会・講演記録―」、佐々木貢（大阪薫英女子短期大学図書館）「書くことの初源に向けて」、室伏修司「噛む―なぜ、反ワープロか」の三名。その前に編集委員会は、「課題としての権力の無化、あるいは運動のはじまり」で、「一個人がコンピュータ利用を拒否することは倫理の問題に留まる（それはそれで貴重だが＝ママ）。これをいかに全社会的なものとして定立するかが、我々に課せられた思想的課題である」。「この冊子は、コンピュータ反対を論理として運動としてどのように権力無化にまで届かせるかという我々の課題の一端にすぎない。その一里程として、読者の批判をあおぐ」。確かに、観念的で難解な問いである。

さらに翌一九八七（昭和六二）年にも池田浩士（京都大学教員）「さてワープロと、どうつきあおうか？―'86・12・5図書館を考える会・学習会・講演記録―」をまとめた『コンピュータ世界の逆立―あるいは反ワープロの試み―』【図6-4】を発行する。池田は、あとの世代にとっては「既成の事実」になると言いながら、「まだ問題が意識できる我々が、どれだけそれにこだわりつづけるかということだけが、後にやってくる人びとへのメッセージになる」と主張する。他に室伏修司「あとがきにかえて―「反ワープロ」で見えてきたこと―」、河田いこひ「市民運動とワープロ〈提案〉（資料）」。

その後もワープロを含む「コンピュータ問題」は少なくとも『通信』第三一号（一九八八年六月）の「コンピュータ合理化研究会」の紹介記事あたりまでは、毎回のように議論されている。当時はまだ現場の労働問題と深く関係していた証左といえる。

〈二〉時論的課題から図書館史の見直しへ

ところで、広島県立図書館の図書破棄事件に深く関わっていったように、会は、図書館をめぐる時論的課題に敏感に反応していく。一九八六（昭和六一）年八月に東京で開催された第五二回国際図書館連盟（ＩＦＬＡ）東京大会に抗議行動を敢行する【図6-5】。当日配布のビラの見出しは「利用者や現場労働者の意志を踏みにじるＩＦＬＡ東京大会に抗議する!!」「日本図書館協会や図書館界のボス共に「図書館の自由」は守れない!!」。その背景には、何かと「図書館の自由」を主張する日本図書館協会が、開会式に皇太子（現上皇）夫妻を招聘したことに対する強い違和感があった。私は、抗議行動に直接参加はしなかったが、抗議の意志表示は必要であろう、と考えていた。

日本図書館協会を中心とする図書館界が戦前、天皇制国家体制のもとで、「国家のための図書館」、「思想善導機関としての図書館」であったことはある程度知られていた。日図協

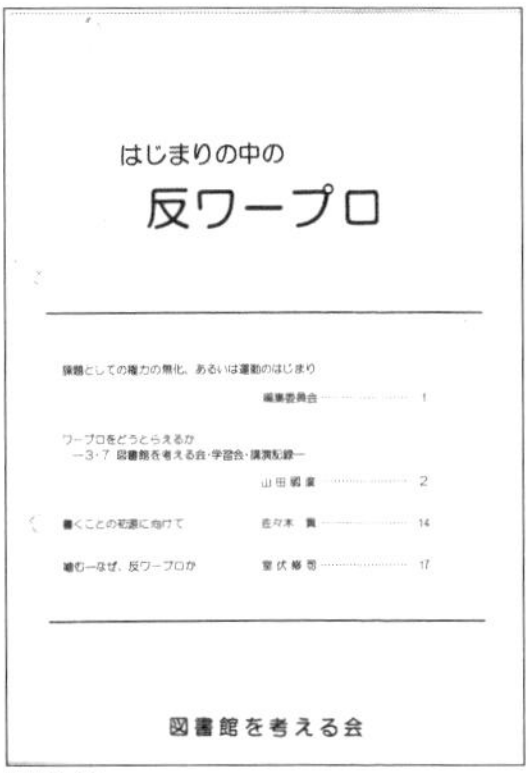
はじまりの中の

反ワープロ

ワープロをどうとらえるか
―3・7 図書館を考える会・学習会・講演記録―
山田 …… 2
…… 14
なぜ、反ワープロか …… 17

図書館を考える会

図6-3

図6-4

図6-5

が「図書館の自由に関する宣言」（一九五四年）を採択したのも、その誤りを認め、深く反省し、二度と戦前のような図書館にはならない、と強く誓ったからではなかったのか。国立国会図書館の設立（一九四八年）に際し、「真理がわれらを自由にする」と言う文言を国立国会図書館法の前文にわざわざ入れたのも同じ強い思いからではなかったのか。

ところが、最近の図書館界は図書館事業基本法（案）や学術情報システムを見るまでもなく、国家や資本になびきすぎていないか。もともと、先に触れた「図書館事業基本法に反対する会」も「図書館労働者交流会」も「学術情報システムを考える会」もこのような問題意識から出発していた。

もう一つは、戦前の日本の図書館が「国家のため」、「思想善導機関」といわれても具体的な実態はまだほとんど明らかにされていなかった。なかでも、植民地の台湾や朝鮮、さらに中国の旧満洲に日本がつくった図書館の実態などは知られていなかった。私（たち）も知らなかったのであるが、それを知る必要性を教えてくれたのが河田いこひ「失われた図書館史を求めて——」『通信』第一四号（一九八六年一〇月）。河田によれば、「図書館界の主流による近代日本図書館史研究書」は、「現在の自分たちの立場を正当化するのに都合のよい過去のできごとだけ並べ」、「不都合な史実（たとえば侵略に加担した図書館の活動など）には故意に目をつぶっていること も」あるはずだ、との疑問を持ち、「図書館を考える、ということの私なりの仕方として、もうしばらく図書館の過去にこだわりたいと思っている」と言う。

河田は、不定期ながら「失われた図書館史」を満鉄の図書館を中心に書き継いでいき、『通信』三八号（一九八九年三月）には「日図協一〇〇年—求心の軌跡」を書く。次に加藤一夫（国立国会図書館）は「近代図書館史を総括する」上、下『通信』四四号（一九八九年一〇月）、四五号（一九八九年一一月）を書く（注2）。

（注2）他に、河田いこひは「アジア侵略と朝鮮総督府図書館—もうひとつの近代日本図書館史序説—」を『月刊状況と主体』一四〇号（一九八七年八月）～一四四号（一九八七年一二月）に五回連載している。加藤一夫の海外侵略の尖兵としての植民地図書館への問題意識もかなり早い。加藤一夫『記憶装置の解体—国立図書館の「原点」』（エスエル出版会、一九八九年）、『情報社会の対蹠地点—図書館と幻想のネットワーク』（社会評論社、一九九二年）所収の諸論考を参照。☆

河田、加藤の問題意識を引き継いだ形で東條文規は、「「日図協一〇〇年を読む」連載にあたって」（『通信』第六三号、一九九一年一〇月）を書き、『通信』第六四号（一九九一年一一月号）から最終号（第七五号、一九九四年六月）まで連載する（注3）。

（注3）現在では、日本の旧植民地、台湾、朝鮮、それに傀儡国家「満洲国」の図書館に関するそれぞれの地域や個別図書館の研究はかなり進展し、立派な業績も複数発表されている。しかし、当時（今から約三〇年前）は数えるほどしかなかった。私は加藤、河田の研究に刺激されて『ず・ぼん』第三号（一九九六年）で「図書館人が植民地でやったこと」を特集した。その後加藤一夫、河田いこひ、東條文規『日本の植民地図書館─アジアにおける日本近代図書館史』（社会評論社、二〇〇五年）を出版できた。当時の問題意識を不十分ながら形に出来た。☆

〈三〉富山問題と「ちびくろサンボ」問題

会がＩＦＬＡ東京大会への抗議行動に取り組んでいる同じ一九八六(昭和六一)年八月、富山県立図書館で「図書館の自由」に関わる事件が起こる。三月に富山県立近代美術館で開かれた「富山の美術」展の図録『'86富山の美術』の中に昭和天皇の姿がコラージュされた大浦信行の「遠近を抱えて一九八二─八五」の連作一〇点があった。県議会でこの作品が「不快」とされ、富山に街宣車が何台も押しかけた。この図録の寄贈を受けていた県立図書館も八月に「当分のあいだ」閲覧・貸出を禁止した。

この問題が最初に『通信』に載ったのは第二五号（一九八七年一〇月）の「パンフ紹介『大浦作品を

鑑賞するための手引き』」。第三〇号（一九八八年五月）の胸永等「Xディ状況としての富山―富山県立近代美術館事件を考える―」、第三二号（一九八八年八月）の図書館を考える会「富山問題についての我々の見解」等が続く。この年（一九八八年）七月には、いくつかの団体と一緒に大阪と東京で「アートは自由だ！「不敬罪」の跳梁を許すな！―Xデー状況と富山県立近代美術館事件―」という集会を開いている。報告は現地富山で抗議行動を担っている富山大学教員小倉利丸。九月には昭和天皇の下血、病状悪化、危篤へと向かう過程で、メディアが煽る自粛ムードがこの国を覆っていた。そんな天皇代替わり論議が現実化する中での富山の事件だった**【図6-6】**。

富山問題は、この集会の報告も含めその後毎号のように何人もの書き手により論じられていくが、一九九〇（平成二）年三月、新たな事件が起こる。県立図書館が非公開にしていた図録の公開を再開した、その日に閲覧を申し込んだ神職の男性に「遠近を抱えて」が掲載されているページを破られてしまった。さすがに、富山県議会も神職の行為を表現・言論の自由の侵害だと満場一致で非難し、知事も神職を告訴した。図書館も裁判終了後、破損部分を修復し、公開するという姿勢を堅持していた。『通信』には、小倉利丸ら「大浦作品を鑑賞する市民の会」の活動や、全国図書館大会への働きかけ、集会案内が何度も掲載されるが、一九九三（平成五）年四月にまたまた新たな事件が起こる。

市民の会らが、美術館に残部として残っている図録の公開、図書館への再度の寄贈と公開を求めていたのを、不快に感じたのか、美術館は、大浦作品をある個人に売却し、図録の残部四七〇部すべてを焼却処分にしてしまった。この文字通りの焚書は、新聞各紙やメディアで大きく取り上げられた。

図6-6

『通信』第七二号（一九九三年五月）は「富山『大浦作品』問題」の特集を組み、地元新聞記事や「市民の会」の抗議声明、公開質問状を載せている。そして最終号になった『通信』第七五号（一九九四年六月）には、小倉利丸「富山県立近代美術館・同教育委員会の検閲に反対する行政訴訟の支援のお願い」とともに、富山問題を特集した『ず・ぼん』創刊号の案内が掲載される。

富山問題より少し後、一九八八（昭和六二）年七月、米国の「ワシントン・ポスト」紙が日本の黒人キャラクター商品や、デパートの黒人マネキンを「黒人差別の象徴」だとして非難した。当該の日本企業は即座に反応し、商品の回収や製造を中止した。これに関連して各出版社も日本の子どもたちに人気のある絵本『ちびくろサンボ』を絶版にした。これをきっかけに、絵本作家や出版関係者、図書館、子ども文庫関係者などの意見や反論、討論会等も開かれ、メディアも取り上げた。さらにいくつかの図書館で非公開措置がとられるに至り、「表現の自由」、「図書館の自由」という観点からの非難の声も挙がった。一九八九（昭和六三）年八月には山本まつよを代表とする「子ども文庫の会」が『ブラック・サンボくん』を出版する。

このようななかで『通信』に最初に載ったのは第三九号（一九八九年四月）の浅野剛弘「返事のない一八通と思いがけない一通の手紙―消えた「ちびくろサンボ」と私―」。中身は、一九八九（昭和六三）年一月に京都市中央図書館が『ちびくろサンボ』を閉架措置にして、蔵書目録カードも抜き、実質的に未所蔵にしたことに対する抗議。次号（四〇号、一九八九年六月）に佐野通夫（四国学院大学教員）「浅野剛弘氏へのひとつの手紙」、四二号（一九八九年八月）には末吉高明（四国学院大学教員）「『ちびくろサンボ』の差別性」。末吉は、アトランタの黒人社会で暮らした体験をもとに、「敵がこちらの生活の糧を脅かしているときに先決なのは、煮ても焼いても食えない敵の「差別意識」を問題にすることではなく、今日のパンの確保だ」と、言い、「私たちの『ちびくろサンボ』は、亡霊となってさまようことなく図書館の奥深く書庫に眠ってもらわねばならない」と挑発する。その後も『通信』は関連資料の紹介やさまざまな立場からの意見を載せていく。それに並行して、会の主催で二度、基礎的学習のための集会を開く。

一九九〇（平成二）年一月には大阪で「焚書されてもならないが、公開されてはならない〝ちびくろさんぼ〟の理由—黒人の歴史と表現の間にある相関を中心に—」。講演は、先の末吉高明。日本人の多くが知らない米国黒人社会の歴史と現状から説き起こし、「ちびくろサンボ」の差別性の根源に迫る。さらに四月一四日に同じ大阪でPart2として同名の集会を開く。講師は、ケニア出身のゴードン・C・ムアンギ（四国学院大学教員）、ジェリー・ヨコタ（大阪大学言語文化部講師）、有田利二（黒人差別をなくす会）の三名。後にこの集会の内容は「図書館を考える会」の編集発行で『サンボ・ラバーにグッバイ！！』（一九九一年）【図6-7】というタイトルで小冊子にまとめられる。

その後、原作（ヘレン・バナマン）に忠実な本として『ちびくろさんぼのおはなし』（なだもとまさひさ訳、径書房、一九九九年）が出る。二〇〇五（平成一七）年には岩波書店版の『ちびくろさんぼ』が二巻本として瑞雲舎から復刊、二〇〇八（平成二〇）年には径書房が『ちびくろサンボ』として出版するなど複数の「ちびくろサンボ」本が市販されている。

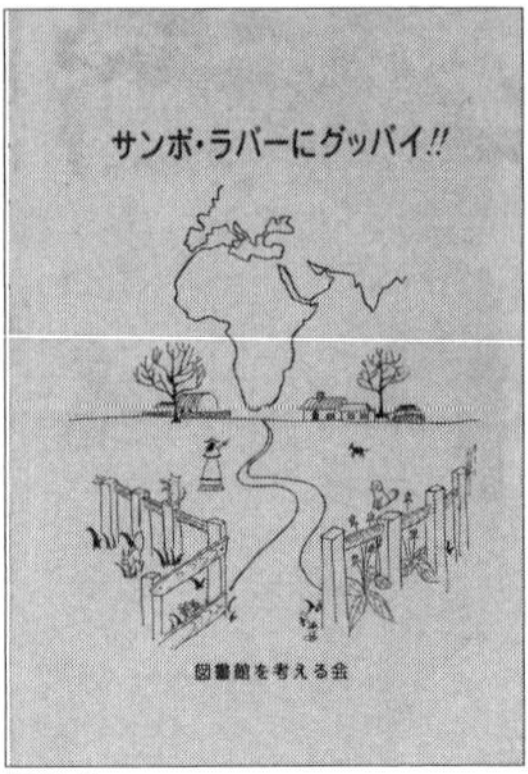

図6-7

〈四〉『原爆と差別』問題と日図協への抗議活動

いわゆる「図書館の自由」に関わる問題に敏感に反応していた会は、この二つ以外にも『原爆と差別』（朝日新聞社、一九八六年）に関する『「表現」は現在を規定するか―『原爆と差別』論争・資料と総括―』【図6-8】という小冊子を一九八八（昭和六二）年に発行している。この問題が明るみに出たのが一九八六（昭和六一）年七月、原爆の被爆者でもある朝日新聞の編集委員だった中条一雄『原爆と差別』（朝日新聞社、一九八六年）のなかに「もちろんこの世の健康問題も大切です。差別が同和のような特殊部落のようになっても困ります。」といった被爆者の声が紹介されていた。

部落解放同盟の抗議に発行元の朝日新聞社は、出版ルートに乗った本を回収、奥付その他は以前のまま、指摘された箇所だけを張り替えると言う安易な方法で対処した。が、当然にも回収以前に読者や図書館が購入済みの図書も存在し、同じ奥付の図書が二種類あることになった。一方、日本図書館協会は、この『原爆と差別』を八月に「選定図書」に選んでいた。さらに、当該の被爆者は「特殊部落」とは語っておらず、中条が強調のために後から書き加えたことが分かった。このあたりから、諸団体の姿勢と考え方が複雑に絡んできて真相が今一つはっきりしなくなるのだが、会は、翌一九八七（昭和六二）年九月二六日には大阪で「シンポジウム差別と表現―表現の彼方・メディアの行方」を開いている。このシンポジウムを基礎にまとめたのが先の小冊子「表現は現在を規定するか―『原爆と差別』論争・資料と総括―」で、当日のパネラーの中から滝尾英二（広島県立図書館）「『原爆と差別』の取扱いをめぐって」、八木晃介（毎日新聞社）「差別と表現、その本質とは何か？」、室伏修司（親和女子大学図書館）「図書『原爆と差別』問題と「図書館の自由」」を収録。他に和田匡弘（名古屋市南図書館）「『原爆と差別』を考える」と資料から構成されている。

『通信』にはこの小冊子発行の少し前の第二九号（一九八八年四月）と第三〇号（一九八八年五月）に、小冊子を編集した室伏の「図書『原爆と差別』問題と「図書館の自由」」上、下（親和女子大学図書館報『二つ鍬山』第一一号、一九八八年三月からの転載）を載せている。室伏は、ハンセン病や富山問題（天皇問題）にも言及し、中条や朝日新聞、日図協、図問研の差別問題と「図書館の自由」に対する姿勢を根源的に問う。

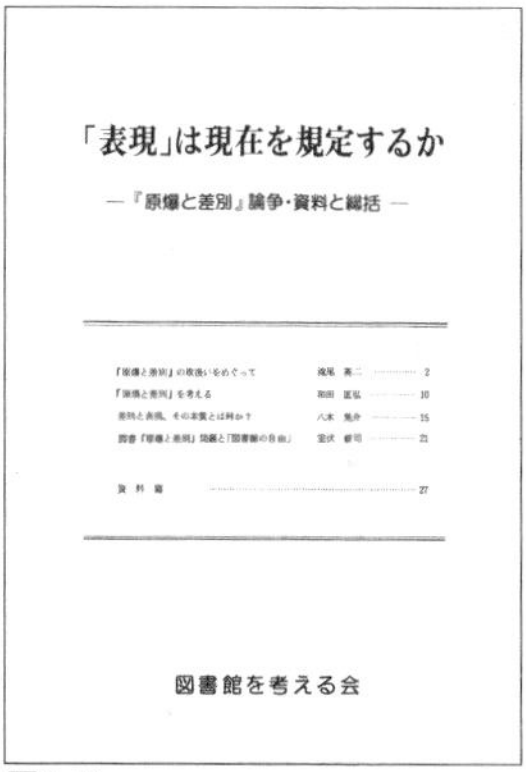

図6-8

会は、九月のシンポジウムを皮切りに一〇月には中北龍太郎（弁護士・民衆の表現の自由を確立する会）「国家秘密法と民衆表現」を、一一月には山田國廣「ワープロをどうとらえるか

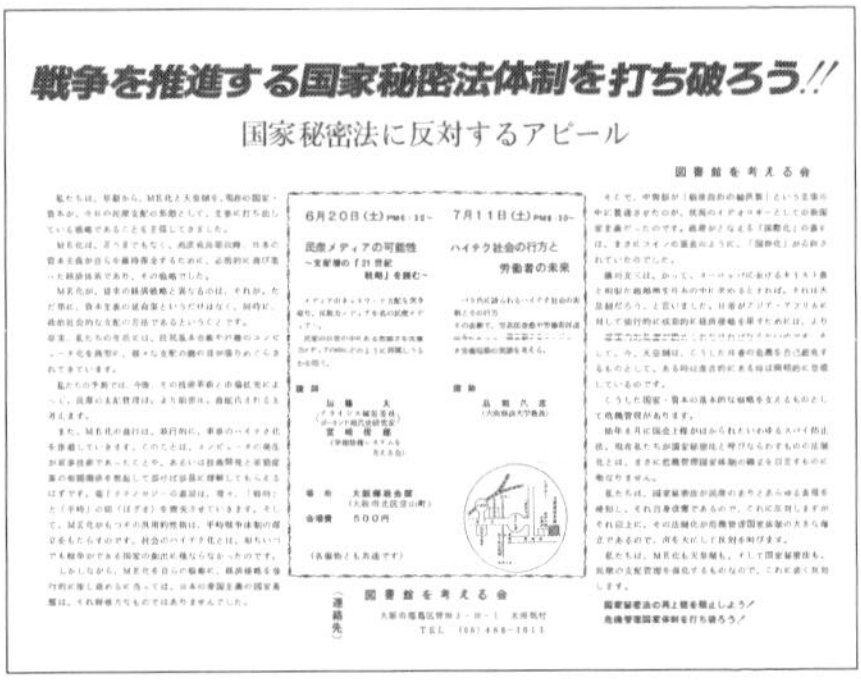

図6-9

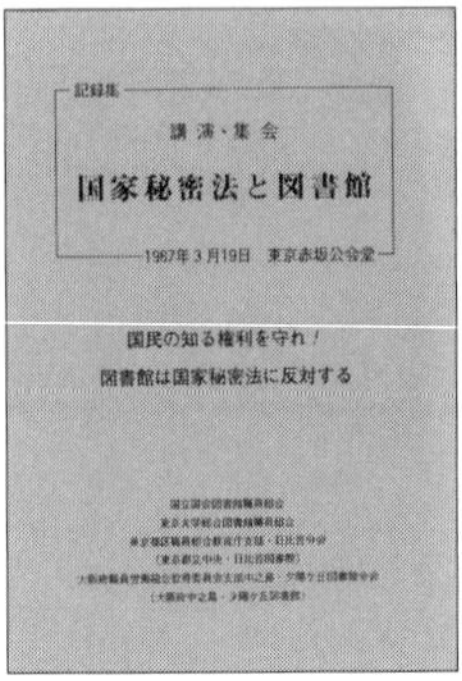

図6-10

Ⅲ」の講演会を開いている【図6-9】【図6-10】。

そしてまた、一〇・二八共同行動実行委員会名で、『日図協は日の丸のもとに?―日図協交渉の記録―』(一九八八年)を発行する。日図協交渉とは、一九八六(昭和六一)年八月二五日のIFLA東京大会での皇太子夫妻招聘に対する抗議行動に警察官を呼んで排除したことに対する抗議が中心だが、ISBN問題や富山県立図書館問題、『原爆と差別』問題にも言及した事務局長の栗原均との三回にわたる交渉記録、他に河田いこひ「日図協一〇〇年―求心の軌跡」と日図協に対する抗議や申し入れの資料。

後に栗原は、私(東條)と堀渡のインタビューに応え、IFLA東京大会開催への資金集めなどの苦労話とともに、「皇太子夫妻招聘はあとあとまで抗議を受けた」と言い、でも夫妻が晩餐会にまで来て、「外国人が非常に喜んだ。喜んだのを日本人が見ていて、こういうことでよかったんだなと思う」と語っている(前掲「ロングインタビュー　異色の図書館人栗原均」)。

〈五〉「反対図書館」を！

このように、会の活動は次々に起こる図書館をめぐる問題に異議申立、問題提起というかたちで介入していくが、もう一方では、会結成時に展望した「図書館に夢を」という試みにも触れておく。

堀渡（国分寺市立恋ヶ窪図書館）は、「資料提供」に関して「一般的な収集・提供の容量の拡大とか、「図書館の自由」の確立、とかの方向に本質的に課題があるとは思えぬのだ」と言う。「選定・蔵書構成にこだわり、一人の読者としての自分に腑におちるかにこだわり、単独館として、職員個人としての実践論にこだわる。何のための図書館で、誰に何を伝えているのかにこだわる。大図書館はこうした思考を見えなくすると思う」（「図書館は〈資料提供〉の機関ではない――」『通信』第四号、一九八五年一〇月）。

逆説的ではある。読み方によれば屈折しているかもしれない。小図書館の自己満足かもしれない。だったら、古本屋のおやじになれば？と言われるかもしれない。

同じく、一九八五（昭和六〇）年一一月に大阪で開いた「本の中に、図書館の中に、日常の中に――いま、もう一つのとしょかんを求めて――」集会の講演者岡村敬二（大阪府立夕陽丘図書館）の「本、資料を前提としながらそれに支配されることのない意志の集いの場としての図書館」や「断念としての図書館」（前記講演録『図書館意志論のために』、図書館を考える会、一九八六年）という問題提起にも、堀の言説と共通する何かがある。

岡村の言説も難解である。私らは、カウンターで毎日毎日、貸出と返却に追われている。機械化されれば少しは楽になるだろう。こんな面倒なことを考える暇などないのだ、と言われるかもしれない。だが当時、こんな思いの一端をどこかで共有出来るかもしれない、おそらく、そう考えた図書館員が何人かいたのも間違いない。

「本は自由だ！いまこそ、「反対図書館」を！――現場からの反撃 ,86――」集会は一九八六年一一月二三日～二四日に大阪で開かれた【図6-11】。「反対図書館」とは、予稿集『本は自由だ！いまこそ、「反対図書館」を！――現場からの反撃 ,86集会予稿集――』（一九八六年）によれば、「制度の枠組みに入った表現すべて、制度の図書館へのアンチ・テーゼを意味している」という。だが、この名称はじつは、鶴見俊輔が国立国会図書館の「昭和五九年度中堅職員研修」で話した講演「図書館と私――反対図書館のイメージ――」（『びぶろす』、一九八五年三号、四号、後『鶴見俊輔集』10「日常生活の思想」、筑摩書房、一九九二年）から借用したものである。

鶴見によれば、反対図書館のイメージとは、「例外者の利用する図書館、今まで全然図書館を利用したことがない人が利用するような図書館、もう一つは、保管する器を決して作れないような図書館」ということになる。鶴見は、本の洪水のなかで、ある意味無感覚になっている図書館員に対して、反対図書館のイメージを「燠のようにかき起こしていかなければ、大変に難しいんじゃないか」と説く。職業としての図書館員には、現実には不可能に近い話だが、イメージとしてはなんとなく当時の私（たち）の思いと重なる部分があった。

とはいえ、集会の中身は北尾はくば（高槻市立図書館）「叛コンピュウタアー図書館にもう「ピッピッ」はいらない！—」、滝尾英二（広島県立図書館）「図書館に何が問われているか？—広島県立図書館問題の経験をふまえて—」、亀元信吾（枚方市立枚方図書館）「行政攻撃と図書館の合理化」、長谷川勝好（兵庫出版サービス）「自前の草の根出版流通を—メディアの変革から変革のメディアへ—」、東條文規（四国学院大学図書館）「臨教審第二次答申と図書館」等で、反差別や労働運動報告、そのための現状認識が主なものだった。

「現場からの反撃」と名付けている以上、もっと過酷な労働現場にいる、たとえば湯浅俊彦（全国一般労組大阪府本旭屋書店支部）は、「暗い暗い図書館プロパー」と言い、「どうありたいのか言ってくれ」と『市民の図書館』がギマン的だというならどういう図書館像、あるいは「反対図書館」をあなたは出すのか?そこから出発するのでなければ「ため息と激励と交流」するだけの集会になりはしないか」と挑発的に批判する（「図書館は不自由だ！いまこそ『反対図書館員』を！」『通信』第一七号、一九八七年二月）。

「ここでの図書館とは、むろん象徴としてのだが、われわれは、この呼びかけの中で、現場を深化させ、図書館を跳び出す。／図書館を憎む者、図書館を忌み嫌う者、そして、図書館を愛し、いとおしむ者、我が集会に来たれ！この旗のもとに！」（「状況の解明から運動の構築へ・序章」前掲『予稿集』）というような檄文よりはよほど真っ当な批判が出るのもむ

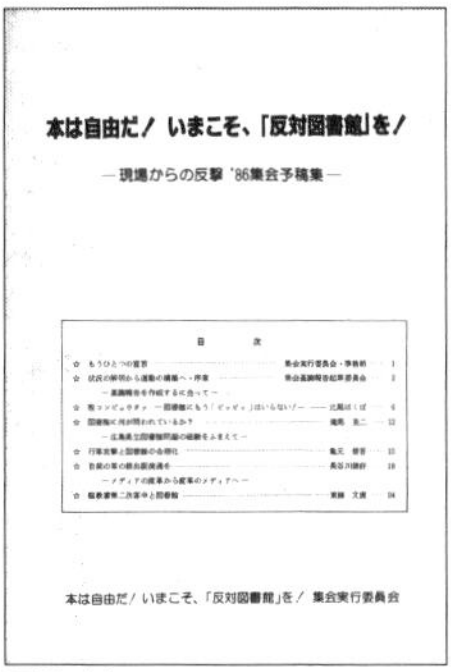

図6-11

べなるかな、というべきであろう。

じっさい、湯浅は『通信』第一一号（一九八六年七月）に、東京都のトラック協会の出版・印刷・製本・取次専門部会が取次に「配送運転手の労働条件向上への協力」という具体的要望書を提出しているのを紹介している。「本を使うことを職業にしている側の人たち」に「私は大学図書館に出入りする書店のセールスマンであるから商売上言いづらいことがある。しかし少なくとも出版流通についての議論をする限りは是非、書店や取次や出版社どころか、重たい本を毎日運んでいる労働現場のことも念頭において、やって欲しいと思う」と記している。

湯浅にしてみれば、「反対図書館」というようなイメージとしても曖昧なスローガンのもとで、評論家的に図書館状況を批判的に語りながら、理想の図書館像も、それに至る道筋も見いだせない、もしくは見い出そうとしない「反対図書館」派？に苛立っていたのだろう。

とはいえ、会は、観念的な図書館論や職場の愚痴や機械化絶対反対論ばかりを論議していたわけではない。第四章「大学図書館問題研究会の学情への取り組み」や第五章「学術情報システムを考える会の活動」のところで触れたように、大阪大学附属図書館を解雇された矢崎邦子の復職裁判闘争と兵庫県立図書館を有罪判決時に遡って地方公務員の失職条項を適用された内藤進夫《すすむ》の復職裁判闘争に、深く関わっていた。『通信』にも何度かその報告や集会案内が載るが、次は、それぞれの支援団体発行の資料をもとに二人の運動を見ておきたい。

第七章

矢崎闘争と内藤闘争

〈一〉図書館員の裁判闘争

図書館員が図書館業務との関連で問題が発生し、雇用主との争議から裁判にまで至った例はそう多くない。直接には図書館業務と関係なくとも、なんらかの形で理不尽に図書館での労働権を奪われた例は、強制異動や配置転換を含めるといっぱいあるが、それが争議や裁判にまで至るケースは少ない。解雇でなければ多くは、あきらめるか、泣き寝入りする。生活やそれにまつわるいろんな事情があるからだ。それでも、本人が異議申立をし、組合や仲間たち、図書館問題研究会（図問研）の支援で勝利したケースもある（注1）。

（注1）図書館問題研究会は当初から無条件で司書職制度を目指したわけではない。「一九六〇年代から一九七〇年代までの公立図書館界における司書職制度を求める運動、その理論と活動の実態を明らかにし、それについて考察した」という薬袋秀樹『図書館運動は何を残したか―図書館員の専門性―』（勁草書房、二〇〇一年）は、大要次のように述べている。一九六〇年代後半には、東京の行政側から司書職制度への取り組みが行われたが、区立図書館の図問研会員は反対した。一九七〇年代以降は逆に、図問研やそのリーダーが要職を占める日本図書館協会が司書職制度を目指したが実現しなかった。薬袋はその最大の原因は、図問研のリーダーの頑なで失敗から学ばない体質と合理的で現実的な思考の欠如だ、と言い、その上で抽象的な実体のない「イデオロギー」と「規範」にとらわれつづけてきたと批判する。たしかに、薬袋がいう面が無いわけではないが、それはどのような組織や運動団体でも外部から見れば不可避的に存在する。それにしても「公立図書館が真に市民に役立つ図書館となり、司書が図書館の職員として認められるためには、これら「負の遺産」を清算し、新たな目標をめざして再出発することが緊急の課題となっている」と薬袋は記しているが、「負の遺産」なぞ、清算できるのだろうか。ついでながら、本章で論及した矢崎闘争も内藤闘争も司書職制度とはほぼ無縁の地平から出発している。図問研の姉妹団体の大学図書館問題研究会（大図研）が途中で矢崎闘争を投げ出したのも、図問研が内藤闘争を無視したのも合理的で現実的な思考が欠如していたわけではない。☆

一九六八（昭和四三）年五月、大澤正雄は草創期から五年八ヶ月勤めてきた練馬図書館から住居表示課への異動内示を拒否、一週間後、辞令を受け取るが、人事異動の民主化、図書館復帰を要求した。大澤はその後組合役員として、人事異動の民主化をある程度実現するが、大澤が石神井図書館に復帰したのは一九七四（昭和四九）年四月（『図書館問題研究会の四〇年』「別冊みんなの図書館」第三号、一九九五年）。

一九七一（昭和四六）年七月、東洋大学図書館司書生野《せいの》幸子は人事異動辞令の受理を拒否、東京地裁に配転無効確認請求を提訴。一九七四（昭和四九）年一月和解、五月職場復帰（前掲『図書館問題研究会の四〇年』）。

一九七三（昭和四八）年四月、荒川区立荒川図書館の影山三保子らに異動内示、影山は都人事委員会に不服申立、一九七八（昭和五三）年転任処分承認、現職復帰は一九八〇（昭和五五）年四月（前掲『図書館問題研究会の四〇年』）。

一九八七（昭和五二）年五月、京都府八木町の中央公民館図書室の司書早川幸子（臨時職員）が六年間連続勤務していたのに、一方的に更新拒否。解雇は不当と、八木町教育委員会を相手取って京都地裁園部支部に提訴。一九九一（平成三）年四月、地裁敗訴。一九九三（平成五）年、大阪高裁敗訴。一九九三（平成五）年五月、最高裁上告後、一九九四（平成六）年六月、公立南丹病院就職と引き換えに上告取り下げ（『みんなの図書館』第二〇九号、一九九四年九月号）。

大澤、生野、蔭山の三例は、時間が掛かったけれども、図書館復帰という当該図書館員の希望で決着した。最後の早川は希望通りではないが、労働権＝生活権はかろうじて守られた。

だが、最後まで闘った末に労働権＝生活権を奪われてしまった例もある。

一九六九（昭和四四）年一一月一六日、佐藤栄作首相の訪米阻止の反戦デモに参加した国立国会図書館の女性職員（海老沢美江）が逮捕され、起訴される。館当局は「刑事起訴休職」処分を下す。保釈後、海老沢は有志の支援も得て、処分撤回のための就労闘争、後任者発令阻止闘争を闘う。組合は機関決定の行動ではない、という理由で、海老沢の救援を渋るが、海老沢は「苦情処理再審査請求」を行い、国立国会図書館創設以来初の「公平委員会」が一九七〇（昭和四五）年五月に開かれる。

公平委員会で、海老沢は国立国会図書館設立の精神である「真理が我等を自由にする」という理念を体現するためにデモに参加したのであり、決して間違っていない、と主張した。吉川勇一（ベ平連事務局長）、羽仁五郎（歴史家）らも海老沢の代理人として、処分の不当性を訴え、少なくとも保釈後は復職させるべきである、と主張したが、二回の公開審査を経て六月、休職処分は承認という結論に至る。ただ、館側委員の山下信庸は、海老沢の「真理が我等を自由にする」とデモ参加を結び付ける言い分には異を呈しながら、保釈になった時点での復職を主張した（山下信庸『図書館の自由と中立性』、鹿島出版会制作、一九八三年）。

その後、海老沢は一九七〇（昭和四五）年九月、有志の支援のもと、国立国会図書館長久保田義麿と同公平委員会委員長中山伊知郎を相手に「休職処分と公平委員会の判定」を不服として行政処分取消を求める訴訟を東京地裁に起こす。一九七二（昭和四七）年一一月、敗訴。一九七五（昭和五〇）年五月には二審敗訴。一九七六（昭和五一）年四月、最高裁で敗訴が確定する。ずっと就労闘争を続けてきた海老沢は「国会図書館法第二条第二号の規定により失職した」と記された通知一枚で、国立国会図書館を去る（海老沢処分撤回闘争記録刊行会編『十一・一六佐藤訪米阻止闘争と国立国会図書館――女子職員の起訴休職処分をめぐって――』、同刊行会、一九七一年、海老沢君の行政訴訟を支援する会編『強権と退廃に抗して――海老沢君の休職処分取消を求める行政訴訟の記録――』、同支援する会、一九七三年【図7-1】、海老沢君の行政訴訟を支援する会編『〝たたかい〟を語りつぐために――海老沢さんの「失職」にあたっての感想集――』、同支援する会、一九七六年【図7-2】、他に「広場」編集委員会『広場複製版』、同編集委員会、一九九四年を参照）。

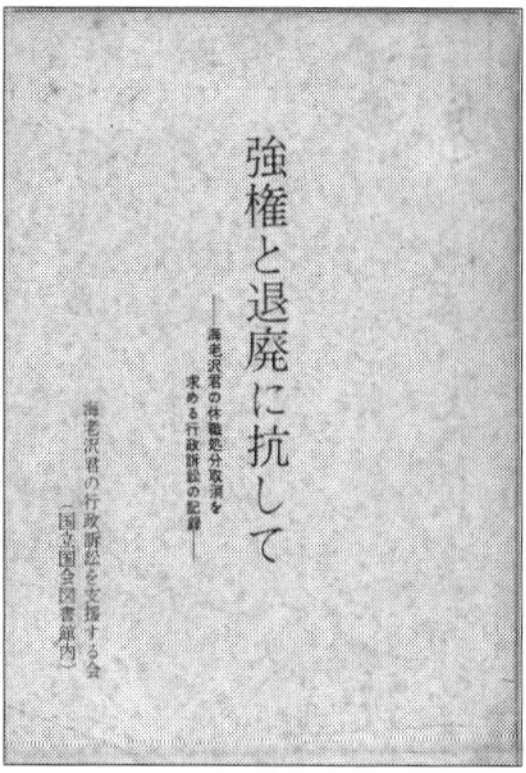

図7-1

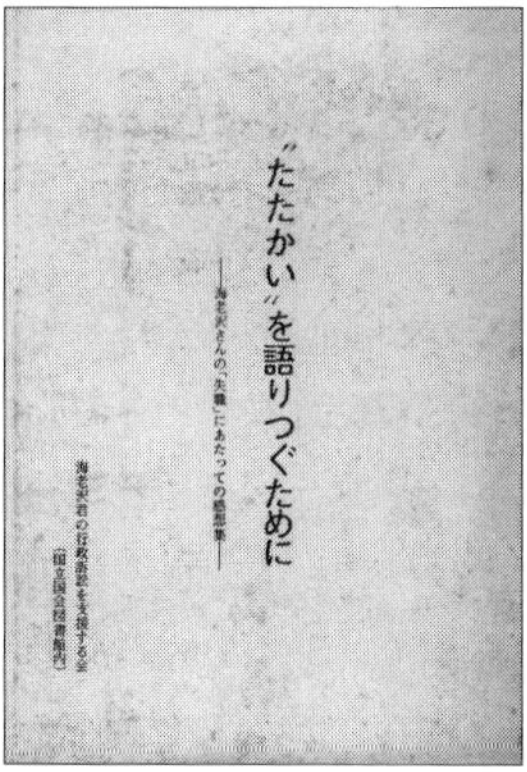

図7-2

〈二〉「臨職」差別、女性差別のなかの矢崎闘争

大阪大学附属図書館職員矢崎邦子は、一九八五（昭和六〇）年三月、大阪地方裁判所に国を相手どり、解雇無効と定員外職員たる地位の確認を求めて提訴する。以後、矢崎と

支援者有志は「矢崎さんの裁判闘争を支援し不当解雇を撤回させる会」（以下、「撤回させる会」と略記）は、長い裁判闘争を闘っていく。先にも少し触れたが、裁判闘争に至る過程を簡単に記しておく。

一九七九（昭和五四）年八月、矢崎邦子は大阪大学附属図書館中之島分館にアルバイトとして採用される。九月には、パート定員外職員になる。一九八〇（昭和五五）年に、文部省通知で定員外職員の短期雇用が打ち出される。一九八一（昭和五六）年五月、矢崎は豊中本館の日々雇用定員外職員になる（三年期限は聞かされず）。一九八二（昭和五七）年三月には図書館長が「三年で解雇することはない」と明言。一九八三（昭和五八）年一月から、大阪大学教職員組合は「三年期限」反対闘争を開始。が、翌一九八四（昭和五九）年三月三〇日、大学当局は矢崎らの三年期限解雇を強行。矢崎らは組合員有志らの「守る会」の支援のもと、就労闘争や管理職交渉で闘う。一一月、当局は「学外再就職あっせん」を提案する。大阪大学教職員組合は「検討に値する」と評価。不当解雇撤回闘争の収拾に向かう。あくまで現職復帰を主張する矢崎は、裁判を含め、徹底して闘う姿勢を示す。

さて、前記「学術情報システムに反対する会」や「図書館を考える会」が矢崎闘争に深く関わっていったのは直接的には矢崎が文部省の学術情報システム推進の犠牲者であることが大きいが、より本質的には、公務員の臨時職員問題、その大半が女性という性による差別問題に、その根源があり、そのことが図書館関係者以外にも多くの支援者の共感を得た、ように思う。

一九八五（昭和六〇）年五月三一日、大阪国労会館での「撤回させる会」の決起集会の基調報告は、文部省の矢崎解雇攻撃の本質を大要次のように記している。

第一に、臨調・行革のもとで臨時労働者のうち、日々雇用職員からパート職員へ、さらに民間委託への切り替えが強行されようとしている。

第二に、大学図書館の国家管理と産学協同を目的とし、学術情報システムの導入・推進による図書館の全面的再編をねらっている。

第三に、職業病の隠蔽。矢崎はカウンター業務で頸肩腕障害に罹病し、他にも急速な機械化で眼精疲労、肩こり、腰痛、手の痛み等、職業性疾病（症状）が多発しているが、問題が顕在化する前に切り捨てようとしている。

第四に、女性差別を助長拡大する労働基準法改悪。「男女雇用均等法」制定、労働省通達「パートタイム労働対策要綱」、労働者派遣事業法案等々、臨時労働者に対する制度的一挙的攻撃の一環。

第五に、以上の徹底化による、労働者の団結の破壊と労働組合の解体。


以上のように、矢崎闘争を位置付けた「撤回させる会」は、全国の国立大学の定員外職員（臨時職員）約一万四千人（一九八二年現在）の権利確立を目指す。大阪大学附属図書館には当時（一九八四年）、正職員五二人、定員外職員五四人（フルタイムの日々雇用職員一一人、パート職員四三人）。外注派遣会社社員二人、その他アルバイト、下請労働者等、半数以上が低賃金、劣悪な労働条件、不安定な身分を強いられ、コンピュータ化で、夜間のパート職員は増えている、という【図7－3】。

さらに、図書館職員の半数以上が定員外職員で、そのほぼ全員が女性だということに注目し、男性のほとんどは管理職と中堅エリートで図書館の重要な意志決定に参加しているが、正職員でも女性は参加できず、定員外職員は頭から除外、無視されている。また、研究室で働く定員外職員は教授のアルバイトや自宅の引っ越しなどの私的な仕事までさせられている、と記し、特に女性臨時労働者の権利確立を強く訴えている。

だから、当局の「他大学就職あっせん案」を「前進」と評価し、当該である矢崎と松村（個人的に他に就職）の意志を切り捨てた日教組大学部、阪大教職組執行部を「撤回させる会」が厳しく批判したのは当然であった。阪大教職組執行部は、矢崎問題をよくある労働問題の一つと位置付け、ほとんど勝利する見込みのない裁判闘争に加担するよりは、とりあえず次の就職先が決まればこのあたりで収拾した方が良い、と考えた。

そのような組合の姿勢は、闘争放棄であり、日和見主義だ、絶対に許せない、現に当事者の矢崎は、納得していないではないか。当該が闘うと決意している限り、少なくとも、最後まで寄り添い、支援するべきではないか。そう考えた人びとが何人もいた。

そして、矢崎と「撤回させる会」は、矢崎の解雇撤回、現職復帰と、臨時労働者＝定員外職員の権利確立を獲得目標に今後の運動として、裁判闘争を基軸に現場での闘いと共に、大学―文部省を串刺しにした全国闘争を展開することを目指す。

じっさい、「撤回させる会」結成当初から発行されている『矢崎さんの裁判闘争を支援し不当解雇を撤回させる会会報』（大阪城東郵便局私書箱七四号、以下『撤回させる会会報』と略記）（注2）や情宣ビラには、確かに全国闘争と言ってもよいほどの大阪大学＝文部省への怒りと矢崎闘争に対する共感と熱気とが溢れている。

（注2）「矢崎さんの裁判闘争を支援し不当解雇を撤回させる会」は連絡先を大阪城東郵便局私書箱七四号に置き、『会報』を最盛期には支援者、支援団体に約三〇〇部送付していた。その他に、他の労働組合やグループ情宣ビラとして数十部ずつ、送付用を四五〇部準備し、計七五〇部ほど印刷していたという。この会報も多くは読みやすい手書きで書かれている。☆

この日（一九八五年五月三一日）の決起集会には、矢崎の他に、兵庫県衛生試験所の臨職を不当解雇された北田美智子（アピールのみ）、兵庫県立図書館で「失職処分」に遭い、大阪高裁で闘っている内藤進夫《すすむ》、国鉄大阪工事局の臨時雇用員を不当解雇された和田弘子らも参加した。弁護団は、採用が反復された場合の民間における「転化理論」を援用し、新しい判例を切り開く闘いを目指すと挨拶。会場には一二〇名以上の人びとが参集し、それぞれが熱い声を寄せている。

「闘いのなかに何があるのか、私にはイメージできません。しかし、闘わなければ現状は開けてこないのですね」（大学図

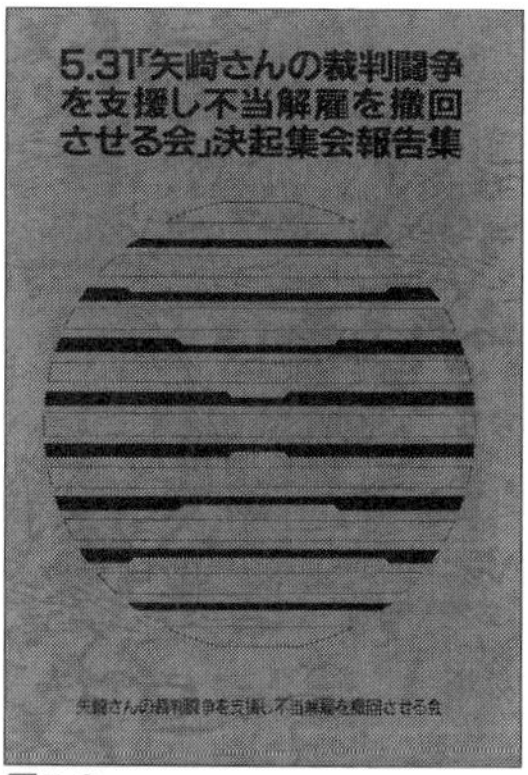

図7-3

書館労働者)。「矢崎さんや和田さんのような女性の存在を、もっと世間一般に知らせたい」(大学事務労働者)。「矢崎さんが解雇に至るまでの説明で、図書館長の陰湿な行動に腹立たしさを覚えました」(兵庫県・女性労働者)等々(『撤回させる会会報』第三号、一九八五年六月)。

翌一九八六(昭和六一)年二月一五日にも、大阪大学石橋キャンパスで「全国総決起集会」を開き、朝から一五〇名の労働者、学生が参加、図書館現場への抗議行動を敢行する。集会では、東大総合図書館職組をはじめ、三〇以上の団体や個人からの連帯の挨拶やアピールが出ている。事務局は、この日の闘いの成果として、①不当解雇の張本人の石川整理課長に図書館玄関前で直接抗議し、私たちの闘う姿勢を示したこと、②他の国立大学で定員外問題を闘っている山形大学医学部の会、東大総合図書館職組、東北大歯学部職組と連帯できたこと、③この闘いを支援してきた加藤多恵子(阪大パート労働者)の契約更新を勝ち取ったこと、④支援の輪が全国的な規模で労学共闘が出来たこと、を挙げている(『撤回させる会会報』第九号、一九八六年三月)。

私も図書館前抗議行動に参加し、集会では四国学院労働組合の名で挨拶もしたが、確かに参加者の熱気と昂揚感に半ば圧倒されたことを覚えている。

その後も『撤回させる会会報』には、公判報告の他、公務員の臨職問題の学習会の案内、学術情報システムの集会、大阪大学附属図書館への抗議行動の報告等が掲載されている。平成と改元されていた一九八九(平成元)年三月一三日、公判は第二〇回を迎え、矢崎本人への尋問が始まった。同時に全国からの署名四六五一名分を大阪地裁に提出した。一一月一八日には、全国から約一一〇名が参加して東京で文部省闘争・全国交流集会を開き、一九九〇（平成二）年一月、四月、六月にも大阪大学附属図書館への抗議行動を重ねた【図7－4】【図7－5】。

〈三〉「結論ありき」の司法判断

一九九〇（平成二）年一一月二六日、大阪地方裁判所第五民事部（蒲原範明裁判長）は、矢崎邦子が大阪大学の事務補佐員としての地位確認と不当解雇に伴う慰謝料を請求した事件について、原告の請求を棄却した。矢崎は即刻、控訴する。矢崎邦子、「撤回させる会」、弁護団連名の「声明」によると「控訴の理由」は以下の通り。

「原判決は、国公法制上、任期の定めのない非常勤職員の任用は存在しないとか、日々雇用職員の任用の内容は法律によって規定されていて任用権者及び人事担当者の合理的意思解釈によって決し得ないとか判示しているが、原判決はことごとく法律の解釈・適用を完全に誤っていて、違法かつ不当なものであることは明々白々であり、裁判官のなした真面目な「判決」とはとても解し難い「代物」である。／原判決が取り消されるべきことは極めて明らかである」。

それより前、九月一七日の第二六回公判で五年半に及ぶ裁判は結審したのだが、その結審報告集会

図7-4

図7-5

で谷野哲夫弁護士は、争点を分かりやすく整理している。

原告と被告との事実上の食い違いについて、①「三年期限」の告知ないし承諾があったのか。②矢崎の職務は、補助的、代替的な職務だったのか。③三月三一日の空白日は、勤務の継続と見なすのか、見なさないのか。この事実上の争点に関していえば、すべて原告側の主張が通る立証内容になっている、と谷野は言う。

一方、法律上の争点は、①任用期間の定めは、有効なのか。②反復更新された任期は、事実上雇用期限がないものと解釈されるのか、否か。③期待権は成立するのか、否かである。

①について被告は、「三年期限」の「正当性」には触れず、告知したというのみ。②と③については、矢崎の場合、アルバイト、パート、日々雇用として採用され続けてきた。空白の三月三一日も実態的にも出勤して、賃金も時間外手当も支給されていた。また民間企業では、反復更新された任期は

期限の定めのない契約に転化していると判断されている。公務員にも類推適用されるべきだ。だから、論理的にいきつくところは、解雇は無効ということになる。「ただ」と谷野は言う。

「裁判長がここまで論理的にくるのか、被告側の、中身のない空虚な形式論をとるのか、厳しいところである」（『撤回させる会会報』第三五号、一九九〇年一一月）。

結果は谷野弁護士が危惧する通りになった。それでも、矢崎と「撤回させる会」は元気だった。控訴審を闘う一方、一九九一（平成三）年一一月一日には、大阪大学吹田キャンパスで全国総決起集会を開き、中之島分館を拡張移転させた吹田キャンパスの生命科学図書館前で約八〇人が抗議行動を行う。

だが、この年、公務員臨時職員の他の裁判闘争は、地裁、高裁とも負け続けていた。矢崎はこの集会の「あいさつ」で「労働基準法は守られるべき最低基準としてあらねばならないにもかかわらず、公務員職場の臨職にはそれも適用されず無権利状態のまま放置されているのが実情です」と言い、民間企業（三洋電機）のパート組合の女性たちが解雇撤回を大阪地裁で勝ち取った例を挙げ、「このように民間の臨職なら労基法に基づいて勝訴の判決を出せるけれども、国公立機関の臨職は――労基法をはるかに上まわる労働条件を保障した公務員法を適用されない、適用されるのは正規職員のみ――公務員という治外法権のもとにいるので、労基法に基づく勝訴の判決をかちとれないというのはおかしいと思います」と訴えている（『撤回させる会会報』第四三号、一九九一年一二月）。

しかし、矢崎の「おかしいと思います」という疑問の訴えは、大阪高裁の裁判官には届かなかった。

一九九二（平成四）年二月一九日、仙田富士夫裁判長は、矢崎に控訴棄却を言い渡した。棄却の中身は一審同様、唯一の解雇理由とされる「三年期限」の本人告知はなかったと認定しながら、逆に大学当局が任用は無期限に継続される旨を告知したものと認めるに足る証拠もない、というものであった。

矢崎は四月二四日、国立機関に雇用された典型的「臨職」としては初めて、最高裁に上告する。同時に、矢崎と「撤回させる会」は、大阪大学総長金森順次郎宅抗議行動（六月二八日）、最高裁要請、文部省抗議全国総決起集会（一一月二六日）、大阪大学豊中キャンパスでの全国総決起集会（一二月四日）と波状的に抗議行動を掛けて行く。このような行動は翌一九九三（平成五）年も継続された。

だが、赤旗や組合旗をなびかせ、マイクを使い大声で情宣し、煽情的なアジビラを配り、集会でアジるという昔ながらの労働運動、左翼運動スタイル、特に総長宅抗議に違和感を持ち、批判的な意見が「撤回させる会」内部、学生や若い人の中から出てきはじめる（『撤回させる会会報』第四七号、一九九三年一月。第四八号、一九九三年三月。第四九号、一九九三年七月。第五一号、一九九三年一一月）。だからといって、他に素晴らしい方法があるわけではない。

一九九四（平成六）年七月一四日、最高裁は矢崎の上告を棄却した。とはいえ、矢崎の弁護団は最高裁の判決理由書が七ページもあるのは異例で、矢崎事件の法的問題が重要であることを物語っている、という。その上で、

①日々雇用職員の採用に歯止めがかかったのか。「カウンター業務に従事させたことが、職員の任用を原則として無期限とした国公法の趣旨に反するものとまでは解し難い」という言い方は、一審、

二審の「任用期間のない非常勤職員は存在しない」よりは良い。

②「転化理論」について国家公務員の場合にも適用がありうるか。これも一審、二審では「国家公務員は私企業と同じような適用の余地はない」と退けたが、最高裁の書き方は「東芝臨時工事件や日立メディコ事件の判例の適用もありうるという余地を残したと読みとれる」と言う。

③期待権の侵害を認める。高裁判決の期待権の侵害に対しては「任命権者が、日々雇用職員に（中略）確約ないし保障するなど、右期間満了後も任用が継続されると期待することが無理からぬものとみられる行為をしたというような」場合には、「国家賠償法に基づく賠償を認める余地があり得る」という言い回しは、将来的な法規範の意味はある。

法律的には意味のある判決だが、矢崎さん本人や支援者には全くけしからん中身だと言われるかもしれない、結論的には私（浦弁護士）もそう思うが、判決の中身のどの点を将来有利に展開できるかという観点も必要であろう、という（「九／二七最高裁判決集会講演内容　浦功弁護士」『撤回させる会会報』第五五号、一九九五年二月）【図7－6】。

しかし、この判決は明らかに「結論ありき」であった。一九九二（昭和四）年二月一九日の大阪高裁での控訴審判決直前に発行された「控訴審二・一九判決公判へ結集を！」と題した「撤回させる会」の呼びかけビラに「司法反動化といわれる昨今、裁判を最高裁事務総局が統制する「裁判官会同」の記録を見てみると、定員外公務員に対する転化理論は一切みとめないという立場を下級審に対して明らかにおしつけている」と記されている。

事実、当時三〇万人とも四〇万人とも言われた定員外公務員に「転化理論」を、その一部にも適用するなぞは、まず不可能であった。

ついでながら、裁判官の実態を描いた黒木亮『法服の王国―小説裁判官―』上（岩波現代文庫、二〇一六年）は、伊方原発訴訟に関して、松山地裁で国に不利な判決が出そうになると主人公の若い検事(後最高裁長官)が法務省訟務部長に「最高裁に働きかけ、会同で意思統一を図るべきではないでしょうか？」と言わせている。そして黒木は「会同は裁判官が一同に会して、実務上のさまざまな問題に関して意見交換をする場である。表向き、「裁判官の研究・研鑽のため」とされているが、最高裁事務総局の考え方を下級審（高裁以下）の裁判官たちに周知徹底する場であり、昭和四十年代の四大公害訴訟においても、疫学理論にもとづいて判決するよう裁判官たちを誘導した」と、書いている。

『日本の図書館―統計と名簿』一九八四年版（日本図書館協会、一九八五年）によれば、矢崎が解雇された一九八四（昭和五九）年の国立大学図書館の専任職員数は二〇七二人、臨時職員数は一一六七人。四年制大学全体では専任職員数七六〇七人、臨時職員数二五〇八人だった。同じ『日本の図書館―統計と名簿』二〇一九年版では、国立大学図書館の専従職員数は一四九一人、非常勤、臨時、派遣等を加えた職員数合計は一七二六人。四年制大学全体では専従職員数四一二〇人、非常勤、臨時、派遣等を加えた職員数合計は八三八五人に上っている。この間、図書館数は八九四館から一四三〇館に増えている。

そして約三〇年後、矢崎邦子とほぼ同じケースの裁判が闘われていた。二〇一五（平成二七）年三月、大阪大学は非常勤職員約一七〇人を雇い止め解雇した。その中の一人石橋美香は、労働契約上の地位確認を求めて提訴したが、二〇一六（平成二八）年一二月、大阪地裁は棄却、二〇一七（平成二九）年七月、大阪高裁も控訴棄却。石橋は二〇〇三（平成一五）年四月、司書資格を持ち非常勤職員として大阪大学人間科学部図書室に採用され、翌年、国立大学の法人化に伴い期間三年の労働契約を結び、以後三回更新して勤続一二年。二〇一三（平成二五）年四月一日に施行された改正労働契約法の「無期転換ルール」の適用の可否をめぐっての裁判だが、石橋は最高裁に上告した（平野次郎「労契法根拠に雇い止めと闘う国立大学非常勤職員」『週刊金曜日』二〇一七年九月八日号）。

だが、最高裁は、二〇一七（平成二九）年一二月二六日に「本件上告を棄却する。本件を上告審として受理しない」と全員一致で決定した。その間わずか四ヶ月。同じ棄却であっても、二年以上をかけ、判決理由書に七ページを費やした三〇年前の矢崎の場合よりも不誠実な決定といえる。さらにこの時期、有期契約労働者の雇用の安定を目指して法制化された労働契約法第一九条の「無期転換権」を巡り、いわゆる「大学非常勤教職員二〇一八年問題」が論議され、各地の国立大学法人で当局と労働組合との交渉が行われていた。

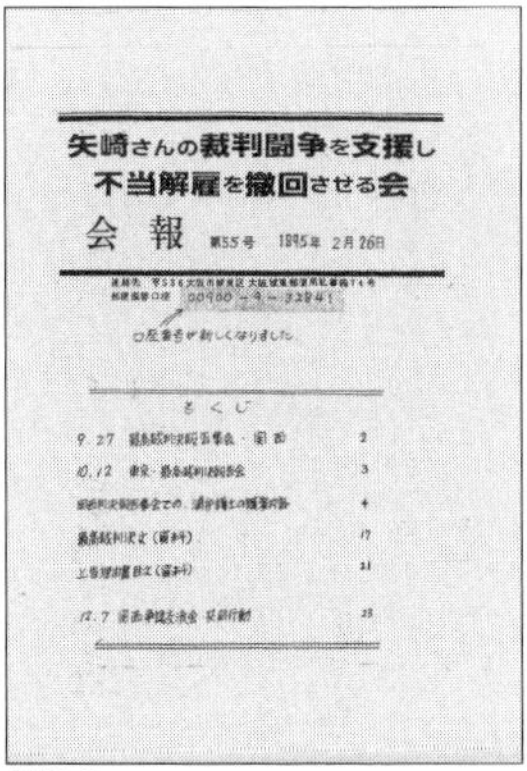

図7-6

じっさい、石橋の記事が載った同じ号の『週刊金曜日』には、東京大学の約八〇〇〇人の非常勤教職員のうち、約五〇〇〇人が「無期転換権」を取り上げられるという報告が載っている。その記事によれば、全国の国立大学法人では約一〇万人の非正規教職員が勤務しているが、文部科学省の調査では、全国八六法人のうち、実質的に無期雇用転換を決めたのは九法人（二〇一七年三月現在）のみ。他は現時点では「職種によって異なる対応を行う」として全員の無期雇用に消極的な姿勢を示している大学が少なくないという（田中圭太郎「東京大学が独自ルールで八〇〇〇人の大半を雇い止めか」『週刊金曜日』二〇一七年九月八日号）。

しかし、石橋の最高裁棄却決定の時期には、東京大学をはじめ多くの大学も大阪大学のような長期非常勤職員解雇を取りやめ、何らかの妥協的措置をとっていたのである。とはいえ、新しく雇用される非常勤教職員が定年まで労働権が保障されているわけではなく、不安定な雇用が継続していることに変わりはない。

〈四〉失職処分はけしからん――内藤闘争

「学術情報システムに反対する会」や「図書館を考える会」が内藤闘争に関わったのは遅い。私の手元にある「内藤君の復職をかちとる会」（以下「かちとる会」と略記）（注3）の『復職をかちとる会ニュース』（以下『かちとる会ニュース』と略記）は第四九号（一九八六年一二月）からなので、大阪高裁での控訴審が結審する少し前、ということになる。内藤進夫が裁判闘争に至る経緯を記すと以下のようになる。

（注3）「内藤くんの復職をかちとる会」の連絡先は兵庫県明石市の内藤宅に置いた。会報も内藤自らが読みやすい手書きで書いている箇所も多い。孤立無援、一人からの闘いがこの会報からも窺える。支援者らに内藤自身で約二〇〇部送付していたという。☆

一九七二（昭和四七）年四月、内藤は兵庫県教育委員会に臨時職員として採用され、兵庫県立図書館設立準備室に勤務。九月、事務職員として本採用。一九七四（昭和四九）年一〇月から県立図書館開館にともない図書館資料課に勤務。

ところが一九八〇(昭和五五)年二月、兵庫県教育委員会から突然一枚の「通知書」【図7－7】が内藤に手渡される。「あなたは、昭和五二年五月一〇日をもって失職したことを通知します。図書館事務職員　内藤進夫殿　昭和五五年二月二〇日」。「理由書」【図7－8】には「あなたが、凶器準備集合罪・往来妨害罪・公務執行妨害罪により、懲役十カ月、執行猶予二年の判決を受けていたことは、地方公務員法二八条四項に該当する。したがって、あすからの出勤にはおよばない。なお、下記の金銭を至急に返還されたい」。

内藤は学生時代の一九六九（昭和四四）年九月の京大闘争に参加、事後逮捕、一一月に起訴された。一九七七（昭和五二）年五月に有罪判決。一九七九（昭和五四）年五月、執行猶予期間満了。内藤はこ

通　　知　　書

あなたは、昭和５２年５月１０日をもって失職したことを通知します

図書館事務職員
内藤進夫　殿

昭和５５年２月２０日
兵庫県教育委員会

図7-7

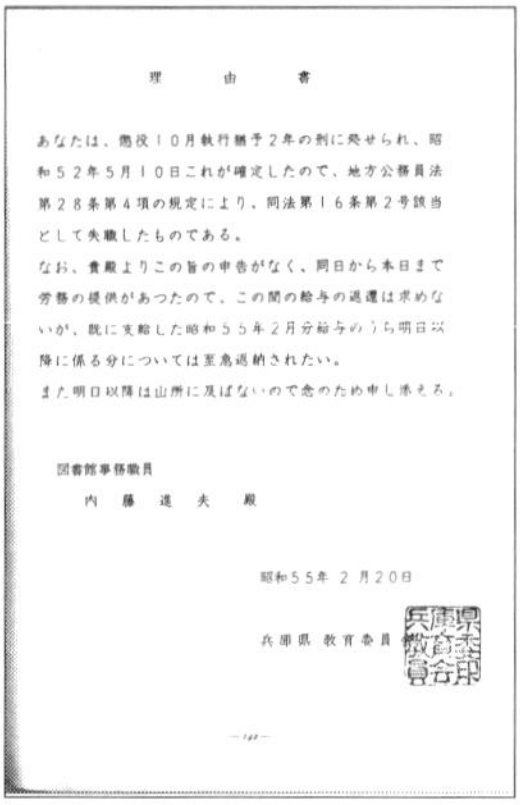

理　　由　　書

あなたは、懲役１０月執行猶予２年の刑に処せられ、昭和５２年５月１０日これが確定したので、地方公務員法第２８条第４項の規定により、同法第１６条第２号該当として失職したものである。
なお、貴殿よりこの旨の申告がなく、同日から本日まで労務の提供があつたので、この間の給与の返還は求めないが、既に支給した昭和５５年２月分給与のうち明日以降に係る分については至急返納されたい。
また明日以降は出所に及ばないので念のため申し添える。

図書館事務職員
内藤進夫　殿

昭和５５年２月２０日
兵庫県教育委員会

図7-8

の時点で公務員資格は回復されている。事実、裁判中はもちろん、有罪後もずっと雇用関係は継続していた。そもそも内藤はこの「失職」条項を知らなかった。内藤は後に記している。

「これだけであれば、個人的な理由による失職だとおもわれるかも知れません。しかし、処分の本当の理由は、わたしの兵庫県立図書館における職場活動にあったと考えています」（内藤進夫「「失職」処分の撤回・復職を求める一図書館員のたたかい」『広場』第五六号、一九八四年四月）。

一九七四（昭和四九）年に明石市に新設された兵庫県立図書館は開館当初から多くの問題を抱えていた。労働条件、アルバイトの不当解雇、部落問題関係図書の目録訂正問題、校長、教頭、待機中の教員の「調査専門員」という名の腰掛的配置、極端に少ない司書と職員数。たしかに当時、全国の都道府県立図書館のなかで最後に設立された兵庫県立図書館の貧弱さは、図書館界では評判になっていたが、内藤は一九七八（昭和五三）年、組合の図書館分会長に就任する。一九八〇（昭和五五）年一月、県教委当局との職場要求交渉で、開館以来初の司書二人の新規採用を確約させる。その直後の二月、「失職通知」一枚で解雇された。

内藤は失職処分後すぐに、県人事委員会に不服申立を行うが、処分ではないと門前払い。頼りにした組合は「県職運動と無関係でありたとえ争っても法的に勝ち目がない」と支援を拒み、「県職員でないから組合員ではない」と組合員資格まで奪われた。

一九八〇（昭和五五）年八月、神戸地裁に提訴。当初依頼した弁護士も「勝ち目がない」、「悪い判例をつくる」としり込みするが、内藤の熱意と「これは差別問題だ」と認識した岡田義雄、冠木克彦の二人の弁護士が引き受けてくれた。提訴理由は、①地公法の自動失職制度は、禁固以上なら執行猶予が付いても、問答無用で生活基盤の職まで奪う。私企業労働者や特別職公務員に比べて、過酷な差別を課すものであり、法の下の平等（憲法一四条）に反し、違憲だ。②執行猶予は失職通知の一年前に満了し、公務員資格は完全に回復している。兵庫県は、刑確定後も内藤を雇用していたのであり、雇用関係は継続しており、失職通知は無効である。

図7-9　1987年3月全国図書館大会東京での情宣活動

だが、一九八四（昭和五九）年二月、神戸地裁は内藤の訴えを棄却。判決は、「反社会性」の強い行動で有罪になった被告（内藤）を公共性の高い県立図書館に勤務させるのは住民の利益を害する、というもので、犯した罪と職務の具体的関連性も問わない形式論に終始した内容だった。内藤は、直ちに大阪高裁に控訴する。高裁で勝利する展望はまず、ないだろう。

だが、内藤の運動は少しずつだが進展していた【図7-9】。この三年半の裁判闘争と並行して、内藤と「かちとる会」は職場回り、ビラ配布等の地道な情宣活動を続けた。県組合の二支部で自動失職制度撤廃の方針が決定され、自治労も八四年度運動方針に失職問題の取組みが提起されるに至る。内藤は一九八四(昭和五九)年二月、直ちに控訴する。

弁護士もまた、公務員の欠格条項及び失職制度の違憲性について、米国で確定した違憲判決を探し出し、半数近い州が公務員法の任用規定の改正や検討をしている事実、ILOの公務合同委員会でも同様の決議があることを確認した。高裁控訴後も内藤は、公務員の欠格条項、失職条項の機械的な履行の差別性を訴え続ける。だんだんメディアへも取り上げられるようになり、よく似た例も出てきた。全国の二〇〇〇近くの自治体で画一的な自動失職制度を緩和する特例条例を制定しているが、兵庫県にはない。同じ公務員で失職理由に差があるのは、不合理で明らかに差別ではないか。内藤の主張に共感を示す仲間も徐々に増えてくる。

控訴審結審を控えた直前、内藤は書いている。「勝ち目のない裁判をやるから状況が悪くなるのではない。「労働運動」が首切りや弾圧に沈黙を守り、現場の反撃を抑えるから、一層悪法が活き活きとしてはびこり、また改悪を許してしまうことになっていくのだと考える」(『かちとる会ニュース』第五〇号、一九八七年一月)。

しかし、一九八七（昭和六二）年七月八日、大阪高裁の栗山忍裁判長は内藤の訴えを退け、一審の神戸地裁判決を支持、控訴を棄却した。

報告集会で岡田弁護士は言う。「最高裁までそうやと思いますけど、この裁判の中で貫くところは結局は、憤りです。差別というものに対する憤りだと思います」。そして、今日、棄却されたが、「これは分かっている。分かっていながらやることで、だんだん分からせられるようになる。一〇〇年仕事かもしれない。でもその内一〇年を負担する。次の人がまた一〇年、ずっと闘っているうちにこの条項は必ず変わる」（「かちとる会ニュース」第五六号、一九八七年九月）。このように弁護士がいうほど、法律的には難しい事件だが、最高裁上告棄却後の『労働判例』第五三三号（一九八九年四月一日）には「兵庫県立図書館事件」として、内藤に好意的な解説も載るようになり、この事件に注目する研究者も出てきた（注４）。

（注４）この無署名の「解説」は大要次のようにいう。失職通知の時点で内藤は「欠格事由規定」に該当していないし、既に八年近く公務員としての地位を保持し、公務に支障もない。執行猶予期間も経過し、「公務の信用」への影響もない。任命権者が内藤の過去を「知ったということのみから、公務の信用を毀損したとして、さかのぼって地公法二八条四項（自動失職規定）を適用することは合理性をもちうるのか、本件につき右条項を適用する限りで憲法違反との問題は生じ得ないの

図7-10

か、」と問い、「本判決は右適用違憲論も否定するが、なお異論の生ずる余地も多い性格の事案であるようにも思われる」『労働判例』五三三号（一九八九年四月一日）。☆

岡田と冠木両弁護士は「上告理由書」を書き上げ、一九八七（昭和六二）年一〇月二四日、最高裁に提出する。失職裁判闘争七年の集大成。四〇〇字原稿用紙一〇〇枚を優に超える力作である。一九八八（昭和六三）年二月には、復職要求を掲げて約一三〇名で兵庫県庁へ、四月には東京で自治省（当時）と最高裁に抗議行動を敢行。四月二七日には、内藤と「かちとる会」は初めて兵庫県教育長との面会を実現。今後も継続して復職への交渉を行う方向を確認する。一〇月には、失職以来、組合員資格を剥奪していた県職組本部が内藤事件を「取り上げる」方向に舵を切った。毎年、自治労大会に出向き、自動失職制度の不当性を訴え続けた成果がやっと、わずかに芽生え始めた【図7-10】。

〈五〉復職要求闘争へ

一九八九（平成元）年一月一七日、最高裁の貞家克己裁判長は、上告を棄却した。ただ、わずかだが、冠木弁護士によれば「一定の縛りをかける程度の法律的効果は私たちの闘いでつくりあげた」という。具体的には、原審では、内藤の行動は「強度の反社会性」だったのが、最高裁では「禁錮以上の有罪とされたことにたいする社会的感覚に照らせば」という表現に変化したこと、それにまた地方自治体のなかには条例により失職しないで済むところもあるが、「それは各地方公共団体の自治を尊重した結果によるものであって不合理なものとはいえ」ない、というところなどは読み方によれば評価出来るだろう（「かちとる会ニュース」第六五号、一九八九年二月）。

内藤はそれでも闘う姿勢を示す。「これだけ敗けつづけていますが、まだヤル気は十分にあります」。「上告棄却により、法廷闘争はすべての道を断たれたことになった。これからは何の気兼ねもなく処分者である兵庫県当局との復職要求闘争に入ってゆくことになろう」【図7-11】。

内藤は言う。「既に失職制度は合理性を失っている」。大阪府警は公安事件の被告を殴って有罪が確定した警官を「有能な人物」、「法的には何ら問題はない」と元の階級に復職させている。特例条例によって失職を免れた他の自治体の公務員もいる。特別職公務員に一律で画一的な失職制度はない。にもかかわらず、自治省は「失職の特例を制定するな」と行政指導を行っている。今回の最高裁も「社会的感覚」なぞという抽象的な表現で逃げている（「わたしゃ、まだやりまっせ―、上告棄却なんぞ、クソ喰らえ！」『かちとる会ニュース』第六五号、一九八九年二月）。じっさい、神戸市は「執行猶予のものは、失職させないことができる」という条例が制定されている。もし内藤が神戸市の職員なら今も図書館で働いていた可能性はあったのである。

一九八九（平成一）年八月、内藤と「かちとる会」は、兵庫県職の新しい委員長と面談、あらためて復職への取組みを

図7-11

図7-12

要請する。一九八八（昭和六三）年四月に兵庫県職組が内藤事件を「取り上げる」と言ったにもかかわらず、一年以上何の進展もなかったからである。

　一九九〇（平成二）年九月突然、自治労から争訟救援金九四万円が出る。この金が組合からの「手切れ金」となるのか「復職の手懸り」とするのか、内藤は悩む。当時自治労は新しくできた連合に入るのかどうか、内部で意見の一致を見ず、連合加盟と同時に共産党系は別組織に移っていた。

　内藤と「かちとる会」は、一九八九（平成一）年の県職の定例大会でも書記長の「①自治労に争訟救援の申請を済ませた、②失職問題は職場要求の中で取組む、③復職闘争は預かる」との答弁を引き出しており、「当面は争訟救援の自治労での承認を待って、県職にボク（内藤）の組合員資格を回復させる。それを足掛りに復職交渉をせまろうと考え」ていた。だが、「かちとる会」の活動は停滞していた【図7－12】。

　内藤は失職（一九八〇年二月）以降、いろんなアルバイトをこなし、一九八二（昭和五七）年六月からは甲南学園職員労働組合勤務で、生活費を賄っていた。だが、一九九〇（平成二）年六月、「闘争一〇年の大半である八年間も世話になって心底から感謝しとる。長いこと生活を保障し、闘いを表裏にわたって支えてくれ」、その上「あんたが居たいだけ居ればよいんやで」と言ってくれている甲南職労組をやめる。内藤は、せっかくここまで闘ってきて、県職も動き始めようとする気配が見え始めたとき、「自分が現職復帰できるなんぞ夢にも見ない」けれど、「馘首された労働者の救済は、復職が基本」という原則を組合に貫き通させたいと考えていた。だから、生活のための民間企業へのあっせんには躊躇していた。そんな中での甲南職労組職員の退職は、内藤の不退転の決意の表れではあるが、大きな危機でもあった（『かちとる会ニュース』第六九号、一九九〇年九月）。

〈六〉復職闘争その後

内藤の復職要求はしかし、好意的であった兵庫県職労の小池光雄委員長の在籍中にも実現しなかった。一九九二（平成四）年一〇月には組合の斡旋で兵庫県職員互助会の非常勤職員に就任し、生活を支えながら、失職問題の学習会等を主宰するなど復職への闘いは継続していたが、一九九五（平成七）年一月阪神・淡路大震災が起こる。

一九九五（平成七）年四月、内藤は、兵庫県立神戸商科大学の非常勤職員として図書館に勤務する。もちろんあくまで復職が目標の内藤には不本意であるが、翌一九九六（平成八）年三月には、県当局と協議し、「現場の状況に変更がない限り、満六〇歳に達する年度末まで雇用に努める」ことを確認させる。四八歳になっていた。

内藤の図書館での仕事は主に相互貸借業務を担当する。コンピュータ・ネットワークを利用した図書の貸借や雑誌論文の複写依頼や受付。依頼者の教員や学生に喜ばれるので仕事のやりがいはあった、という。とはいえ、働かせられ方にはずっと憤りを感じていた。

内藤が担当する業務は言うまでもなく、図書館、特に大学図書館にとっては恒常的でかつ専門的な業務に入る。教員や学生の要求は専攻によっては複雑で、外国語文献も英語だけではない。にもかかわらず、嘱託身分の内藤の賃金は正職員の五分の一程度、ボーナスも無い。毎年三月になると契約更新の手続きと称して、履歴書、誓約書を書かされる。誓約書には「翌年の三月末日で退職します。」と書く。さらに、採用時検診という「診断書」の提出も求められる。しかも少ない有給休暇をとり、検診費用も個人負担である。「これがイジメ、身分差別でなくて何と言うんでしょうか」と内藤は言う。それはかつて矢崎邦子が大阪大学附属図書館で味わった理不尽さと同じものであった。そしてこのような「イジメ、身分差別」の対象者は全国のどこの自治体でも大学でも国の機関でも起こっている。

「労基法があって、労組法があって、男女雇用機会均等法があって、パート労働法があって、ILO条約まで批准している国のお役所で、なんでこんな労働者の使い捨てと脱法的行為が蔓延しているのかということです。社会のよい手本となって、率先して法を守るべき公務職場の実態を認めることはできません」(内藤進夫「『とらばあゆ』、あるいは復職闘争始末」二〇〇四年)。

二〇〇四(平成一六)年五月、内藤は、友人たちやかつての支援者に少し長めの挨拶状「『とらばあゆ』、あるいは復職闘争始末」を送る。中身は、九年間働いた神戸商科大学図書館をこの(二〇〇四年)三月で悩んだ末に辞職したこと。同時に、丸二四年間の復職闘争に自ら終止符を打ったこと。その経緯と心情、そして今後の仕事について、先に引いたようにいかにも不器用な内藤らしい愚直で誠実な文章が綴られている。

挨拶状によれば、一九八九（平成一）年から仲間とともに一人や少数者のための争議を支援する「関西争議交流会」をつくって活動してきた。が、より本格的に「フリーターや派遣や非常勤など非正規労働者のための組合をつくろう」との呼び掛けに応えたい、という。「今の職（神戸商科大学図書館）を捨てずに片手間では他人の世話は出来ないと納得し、「復職闘争」にピリオドを打ち、新たに出発しました」（前掲、挨拶状）。

内藤は今も「アルバイト・派遣・パート非正規等労働組合」（「あぱけん神戸」）の事務所にいる。

第八章

『ず・ぼん――図書館とメディアの本』発行へ

〈一〉創刊の経緯

一九九三（平成五）年一二月一八日（土）〜一九日（日）の二日間、大阪森ノ宮のアピオ大阪で「巨大情報システムを考える会」と「図書館を考える会」との共催で一九九三年冬季合同合宿を開く。趣旨は「二つの雑誌発刊を手掛りに運動の再構築を」。

初日の一八日は「図書館を考える会」主催で「『図書館』に関する雑誌出版について」。当日のプログラムは、堀渡「雑誌創刊趣旨と経緯」と「創刊号について」、沢辺均「出版社の立場から」、東條文規「図書館大会自由の分科会など」。休憩をはさんで湯浅俊彦「雑誌第二号企画　出版・流通・書店―表現と差別の構造―」、東條文規「雑誌第三号企画　図書館の同時代史」。

二日目の一九日は「巨大情報システムを考える会」の主催で「『大学』に関する雑誌出版について」。池野高理「大学改革の現在―自己評価を嘲笑う」、宮崎俊郎「メディアにあらわれた大学像」、学生「各大学の再編状況」、胸永等「『雑誌』発行について―雑誌発行の戦略と我々の今後」。

この大学に関する雑誌は第五章「学術情報システムを考える会の活動」の（五）「『変貌する大学』全五冊の刊行」で先に触れた。

さて、前者の「『図書館』に関する雑誌出版について」で企画者の一人堀は、大要次のように言う。

図書館界に論争がなくなった、と思う。かつては「貸出至上主義問題」、「コンピュータ導入是非論」、「図書館事業基本法問題」、「専門職論」、「ピノキオの作品評価」等々。現在の図書館界の「発想の根幹」である図書館法も「図書館の自由」論も「中小レポート」も館界を二分する議論の中から生まれた。

現在も問題はいっぱいある。「富山の美術」、「ちびくろサンボ」、委託、臨職、嘱託、広域ネットワーク、選書基準、学校図書館、日本図書館協会等々。だが、「粛々と実務は回転」している、かのように見える。論争や行動が提起されても、当事者が沈黙したり、議論としては「それはそうだよ」とものわかりよくなっている。が、事態は逆の方に進んでいる。新雑誌では、『図書館雑誌』や『みんなの図書館』のような機関誌と違った地平で、論争を提供し、議論を発掘したい。

第二に、出版や流通界からも企画に参加してもらい、共通の磁場にしたい。日本図書コード問題や角川商法、書店経営や図書館運営、書店労働と図書館労働等、私たちは「結果としての出版物」をその生成と流通過程に顧慮することなく、自然物として扱えるほど素朴ではいられない。自らの業務の素材であり、武器である出版物とその流通過程の問題を考えていきたい。

第三に、「ちびくろサンボ」や筒井康隆の断筆宣言問題、皇室報道等、メディア規制や「差別表現」をめぐる問題に「自覚的、自省的な関心を向けていきたい」。「図書館の自由」は図書館と社会との接点を示す概念として、大きな視野で自らを鍛えてゆかなければならない。

そして第四に、町や村や学校の小さな図書館、小さな書店、小出版業が私たちの現場であり原点だ。そんな現場からの良質で斬新なノンフィクションも掲載したい。一九九四（平成六）年春に創刊し、半年刊を予定している（「図書館関係の新雑誌創刊のおしらせとおねがい」『図書館を考える会通信』第七四号、一九九三年一二月）。

堀のこの文章は少し整理されて「ず・ぼんの夢」として創刊号（一九九四年七月）に載る。

〈二〉楽屋裏のはなし

それより前、「図書館を考える会」の主要メンバーと出版社（沢辺均）との間で新雑誌発行の件に関し、口約束ながら雑誌発行に関しての取り決めを交わしていた。以下の叙述は主に、第一号編集委員会代表の堀渡の編集委員と出資者に向けた「報告文書」に依る。

さて、その取り決めによれば、話を持ち込んだ図書館関係者側が共同出資者になる。つまり、資金面の負担を半分担うこと。具体的には、一回発行するためには二五〇万円から三〇〇万円ほどが必要なので、一〇〇万円程度を出資してほしい、という出版を引き受けたポット出版の沢辺提案。

その趣旨は、何百部買取制では仲間内の自己満足的な自費出版物と同じで死蔵になる危険性もあり、出版社としても単なる自費出版物の制作請負業になりたくない。いっぱん社会に問えるような質の出版物を創りたい。出来れば、それで共同に利益を出したいが、黒字にならないまでも、一号の資金回収金を二号の制作に回し、継続的に発行したい。つまり、執筆者には低くても原稿料を出し、普通に流通に廻す、いわゆる商業出版物とする。このような極めてかんたんな口約束だけで、新雑誌の発行は決まった。

予定していた出資金はすぐに集まった。東京の公共図書館関係者、大阪の追手門学院大学図書館関係者、香川の四国学院大学図書館関係者等、一人が一〇万円出してくれた。他に図書館労働者交流会（図労交）の残金が少し。具体的な出資金の扱い、ルール化も決めた。

第一に、経理の明確化と出資者への公開を図ること。第二に、印刷所への支払い、メディアに載せる広告・宣伝費の支払い、外部の筆者への原稿料、つまり必要経費以外は概ね編集委員のボランティアとスタジオ・ポットのスタッフと機材の稼働で賄う。第三に、売上から資金を回収するが、できるだけ第二号以降の製作費に廻す。

かくて一九九四（平成六）年七月二〇日、『ず・ぼん──図書館とメディアの本』第一号【図8-1】が創刊される。特集は「ある自画像の受難──富山県立近代美術館・図書館事件」。

この特集の富山問題にはその発端（一九八六年）から編集委員の多くが深く関わっていた。大浦信行のコラージュによる版画作品「遠近を抱えて」を購入・展示した美術館が政治家、メディア、右翼団体の圧力に屈して処分した事件であり、その後、県立図書館はその図録の非公開、公開後の一利用者による図録破損、収蔵拒否、関連資料の収蔵も拒否したという一連の事件である。

二〇一九（令和元）年八月、国内で最大といわれる芸術展「あいちトリエンナーレ二〇一九」で起こった企画展「表現の不自由展・その後」中止事件のまさに、淵源になる事件であるが、これ以上深入りはしない。興味のある方は『ず・ぼん──図書館とメディアの本』第一号を見て欲しいし、この事件の全貌は富山県立近代美術館問題を考える会編著『富山近代美術館問題・全記録──裁かれた天皇コラージュ』（桂書房、二〇〇一年）に記されている。

ここではもうしばらく発行前後の楽屋裏を記しておく。

まず第一号の制作経費から。一冊二〇六〇円で三〇〇〇部制作。ポット出版は当時まだ取次に取次口座を持っていなかったので、発行は新泉社にお願いし、新泉社──取次──小売書店経由で一冊売れた場合のポット出版の収入は二〇六〇円×〇・五八＝一一九五円。新泉社の取次への卸し値は二〇六〇円×〇・六八＝一四〇一円。ポット出版が取次口座を持てば、一四〇一円の収入になる。一九九六（平成八）年九月発行の第三号からは晴れてポット出版発行になった。

著者への原稿料、取材交通費（富山、大阪、東京）、デザイン費、版下、印刷、宣伝費等で超特価と特価の二種類の見積を出す。超特価は編集委員のボランティア、ポットのスタッフと機材利用による切り詰めた最低限の費用。特価は普通以下だが一応請求したい費用。で、前者は約二六三万円。後者では約三四四万円になる。とすると、前者の場合は二二〇三冊、後者の場合は二八七八冊を売らなければならない。但し、新泉社経由ではなく、編集委員や執筆者が直接販売すれば、一冊二〇六〇円×〇・八≒一六五〇円になるので、その分少なくても良い。

そして先に記したように一九九四（平成六）年七月に第一号が発行されるが、その直後ポット出版・「ず・ぼん」編集部名で執筆者に第一号を贈呈し、お願いを兼ねて初めて文書で原稿料の計算方法を示している。一〇％の印税をページ配分で計算するとして、具体的には「一冊二〇六〇円（定価二〇〇〇円＋消費税六〇円）×二九〇〇冊×一〇％÷一四〇ページ（一ページ＝四二七〇円）×お書きいただいたページ数」となる。たとえば、五ページ分を執筆すれば、四二七〇円×五＝二一三五〇円である。初版三〇〇〇部だが、「取次見本・書評依頼などの贈呈本・執筆者、制作関係者への配布が一〇〇部を越え」るので、二九〇〇部で計算、増刷の場合は増刷分の印税を払う。

図8-1

さらに「販売へのご協力のお願い」として、次のように言う。「三〇〇〇部が完売できて、やっと制作にかかる実際の精算ができる程度」なので「五部・一〇部と」協力してほしい。執筆者には八掛けの一六五〇円で、送料は編集部負担。「販売にご協力いただける」なら、「原稿料と相殺」と、なかなか抜かりはない。

出資者には九月、先の超特価の制作経費で賄ったというかなり詳細な報告をしている。編集委員は当時、東京と大阪と香川（私）に居住していたが、誰も交通費、取材費はもらわなかった。私は編集委員会へはあまり行けなかったが、職場の出張に合わせたり、編集委員の家に何度か泊めてもらったりした。この方法は最後まで変わらなかった。活動自体が半ば以上「道楽」なのだが、逆に言えば編集委員には経済面を含め、いろんな面でそれぐらいの余裕があったのだろう。

編集委員の原稿料は無償。一冊だけ現物支給。その後、編集委員も外部の執筆者と同様の原稿料計算で現物支給にした。つまり定価の八掛けか七掛けかで原稿料分を現物で受け取り、自分で適当な価格で販売する。私の場合は毎号一〇冊から二〇冊ぐらいは売れた。

さて肝腎の第一号の売れ具合だが、同じ九月の「報告」によると、三〇〇〇部印刷でトーハン、日販、大阪屋、栗田書店の四つの取次に一四五〇部新刊配本した。書店からの注文としては少し早すぎるが、新泉社等によれば、判型（B五判）が大きく書店で扱いにくいのでさっさと返本するところが多いのでは？と危惧している。

他方、編集委員を中心に約五三〇部が直販されているし、執筆者も今のところ原稿料と相殺で九二部とってくれている。残念ながら書評などで取り上げが弱く、宣伝も不足なので、大きな反響もないが、発売直後が勝負という出版物ではないので、今後の販売努力が大事。『図書館雑誌』への広告や全国図書館大会に売りに行くなど、具体化しつつあるが、よいアイデアがあれば教えて欲しい、とも。

メディアでの取り上げについては毎日新聞（一九九四年八月八日）が「雑誌「ず・ぼん」創刊　図書館や書店関係者が編集」というべた記事。『出版ニュース』（一九九四年八月下旬号）の「情報区」に『ず・ぼん』発刊という記事。同じ『出版ニュース』（一九九四年九月中旬号）の「ブックストリート図書館」欄に堀渡（国分寺市恋ヶ窪図書館）が「『ず・ぼん―図書館とメディアの本』の創刊」を執筆。

堀は創刊号に記した「ず・ぼんの夢」の図書館が「メジャーのグラウンドに引き出されて、様々に生起し、持ち込まれる要請を咀嚼していける能力がこの業界にあるのだろうか？と思う」と問い、この雑誌で「通じないところにコトバを。拡散しているところに熱気を。もう一度、原則的な議論を」と呼びかけている。

同じ編集委員でポット出版社長の沢辺均は、自治労本部に売り込みに行くと「自分で書いて宣伝しなさい」と言われて『月刊自治研』（一九九四年九月号）に「ぼくが『ずぼん』でめざすこと」を書いている。最初に「印刷したのは三〇〇〇部」と言って『月刊自治研』の読者には、公共図書館の職員もいっぱいいるだろうし、図書館のことがテーマになっているんだから「一冊ぐらい図書館で買っとかないとな」って思う人が三〇人ぐらいいるだろうと思っていますのでよろしく」と仁義を切る。

さすがに「自分たちの雑誌を出したい」という思いが第一の他の編集委員と目の付け所がちょっと

違って販売もしっかり考えている。当時（一九九四年）公共図書館は全国で二二九七館。職員数は一万五一二一人。他に学校図書館も大学図書館もある。当時の私なら三〇〇人くらいは買うように思ったのだが、沢辺は出版業界の現実もきっちり踏まえて「三〇人ぐらい」と見積もっている。

沢辺は、特集の「富山県立近代美術館・図書館事件」から始めて極めて具体的に中身を紹介する。「図書館やメディアのことについての考えを深める」材料になる本をめざす、と言い「大切だと僕が思うことを」を二点挙げる。一つは「事実と意見を分けること」、もう一つは「自分たちだけの『暗黙の前提』をまず言葉にしていくこと」。

当たり前のようだが、これがなかなか難しい。前者については「富山事件」を例に説明しているが、より難しいのは後者。一号で取り上げた東京都調布市の市立図書館の財団委託問題について「①委託反対運動をしている市民、②職員組合の執行委員、③職場委員、に意見を書いてもらい、あわせてこのコーナーの編集を担当した編集委員が、反対運動のふがいなさを書」いた。この編集企画は「図書館の委託はいけない」という前提から出発したのだが、沢辺は敢えて「自分たちだけの暗黙の前提」だったな、と後悔している、と言う。

〈三〉とにかく二〇年、続けられた

沢辺によれば、「図書館の委託はいけない」ということを、「仮説」にするのはよい。でも、「それはどんな理由で」とか、休日出勤が嫌いな図書館員とか、税金安上がりで、遅くまで開館してほしい市民とかの「願い」と一戦交えるような言葉にまでしなければいけない。そうでなければ、先のような「図書館の委託はいけない」を「暗黙の前提」にしていない人たちと同じ議論の土俵で「どんな図書館にしたらいいんだろう」という「考え」を深めることにはならない、だろう。もっと言うと、「暗黙の前提」が異なる人はこの『ず・ぼん』を相手にしないだろう。そして、第二号の特集は「差別とメディア」だが、「差別は悪い」という「暗黙の前提」からは出発しそうだが、でも、「言葉狩りはいけない」という「暗黙の前提」あたりからはしっかり疑って、言葉にしていこうというのが、企画の出発点、だと言う。

沢辺のこのような視点は貴重で尤もだが、初めから編集委員の間で共有していたわけではない。じっさい、早くに編集委員を去っていた仲間もいた。もともと編集委員全員が七章までに記したように、図書館を巡るいろんな運動で、出会った者ばかりであり、いわば敗残兵と言ってもよい。負け戦をどう闘うのか。自分たちの雑誌発行を新たな武器にするのか。まったく異なった道を歩むのか。手すさび的な道楽雑誌にするのか。堀の「ず・ぼんの夢」は大枠では同意していても、編集委員それぞれの比重のかけ方は同じではない。同じように沢辺の視点もよほど意識的に確認しなければつい、「暗黙の前提」から出発してしまう。それを徹底的に議論するほどには、みんな若くはなかった。

それと、「企画は提案したものが責任者になる」というそれこそ「暗黙の前提」を設けたことも良かった、と思う。私は、「本来、図書館とは足し算の世界、開かれた世界であって欲しい」と、ずっと考えていたので、企画会議は心地よかった。

だからかどうか、ポット出版の担当社員の入れ替わりはあったが、最初からの編集委員のうち六人（斎藤誠一、沢辺均、手嶋孝典、東條文規、堀渡、真々田忠夫）は最後まで残った。途中で加わった小形亮もほぼ最後まで残った。

ところで、肝腎の『ず・ぼん』の売れ具合はどうだったのか。実質編集長の堀渡が記した「ず・ぼん　出資者の皆さんへ」と題した報告書が私の手元に残っている。日付は一九九七（平成九）年一月二四日。この時点で『ず・ぼん』は三号まで発行されていた。「創刊の際、ポット出版に対しては、資金の一部を出す替わり、『低空飛行』でも当面三号までは刊行を約束してくれ、と求め、やってきました」。「刊行は『年刊』ペースになりつつありますが、その通過点は過ぎました」、ということで沢辺からの一号から三号（途中）までの詳細な会計報告を付してある。

この報告によると、先に記した「超特価」ベースで一号の制作費は約二五〇万円。一九九六（平成八）年一二月一一日現在、入金額は約二四一万円。九万円の赤字。二号の制作費は約二七六万円。入金額は約一九二万円。三号の制作費は約一八二万円。入金額は約六四万円。三号の制作費が安いのは「版下製作に関し、ポット出版のコンピュータ作業で大半がまかなうことが出来た結果、版下・印刷経費が下がり」、また編集委員の座談会や執筆が多かったので原稿料も減った。まだ発売（一九九六年九月）直後なので、「売り上げや資金回収を云々するタイミングではない」。

ただ、二号までの計算上では出資者の一〇〇万円は六七万円に減っている。出資者としては「ポット出版に対してハンデなく一〇〇万円をそのまま」次号につぎ込めるようになりたい。そして、三号まで発行して堀は、単行本と違って雑誌（じっさいは書籍扱い）の面白さを強調する。

「発行に関わる者達にとっては、結論の出しにくい、なかなかケジメのつけにくい存在です。新刊を見て興味を持った読者が、バックナンバーを注文してきます。特に三号を出して宣伝をして、一号・二号がまとめてかなり動きました。まだまだ知られていないようです」。そして一号は近い内に「超特価レベルでは制作経費の全額回収ぐらいはクリアしてくれるだろうと沢辺氏は予想していますす」と言い、今のところ「赤字基調」だが、『ず・ぼん』は商業出版物としても箸にも棒にもかからない存在」ではないし、ポット出版もこのまま継続しようと言っている。再度の出資金は求めないので、「皆さんからの最初の出資を連続運用しつつ、このまま続け」させて欲しいと記す。

さらに堀は〈最後に極々、個人的なメッセージ〉として、「自分たちが注目したい事実を掘り起し、言いたいことを提示する。金を出してでも読んでもらいたいネタを、とりあえず、一五〇〇部以上も有料で買ってもらっている。自分としてはいうことないです」と記し、でも一〇年以上前に堀が『季刊としょかん批評』に関わった経験から当時の熱気と反響の大きさとを比較し、現在は「中年オヤジの気の弱さもあると思うが」「今は何か、突拍子もないことを孤立してやっているような「疲れ」がたまります」と自嘲気味に語る。

その上で、堀自身は「無意識に運動論的に思っていたところがあって」ある編集委員（私ではない）の「道楽でやるんだ」という言葉に違和感を持っていたが、今は「関わる者達の「道楽」に限りなく近い雑誌かもしれ」ないと感じ始めた。

「それでよい。独立系の現場批評雑誌の意義がないわけではないでしょう。一緒にやってくれる人達がいて条件が続く限り、「図書館」と「状況」の発見・批判のコトバを求め、もう少し緊張を楽しんでいよう。面白く楽しく遊んでやろう、と思っているところです」と結んでいる。


そして『ず・ぼん』は、一九九四（平成六）年七月発行の第一号から二〇一四（平成二六）年四月発行の第一九号まで、おおよそ年一回発行で二〇年間、継続できた。最初の予定でいえば、資金が回転して、底を突くことはなかった、と言うことかもしれない。が、もちろんそれだけではない。偏に沢辺均の経営手腕による。

それと、もう一つ。いうまでもなく、日本の経済は一九九〇（平成二）年のバブル破裂以降、「総じて見れば凋落傾向にある、落ち目である、と見ざるをえない」（山家悠紀夫『日本経済三〇年史―バブルからアベノミクスまで―』岩波新書、二〇一九年）状態が続いている。「株価、地価が下落し、一〇年近く遅れてではあるがGDPも減少し始めた（九八年以降）。GDPが中国に抜かれて世界第三位となったのが二〇一〇年。一人当たりGDPを見ると、円安によりドル換算額が小さくなったことの影響もあるが、二〇一七年は世界二五位へと転落している」（山家前掲書）。まさに「落ち目」以外の何物でもない。

とはいっても、『ず・ぼん』第一号発行の一九九四（平成六）年から終刊の二〇一四（平成二六）年

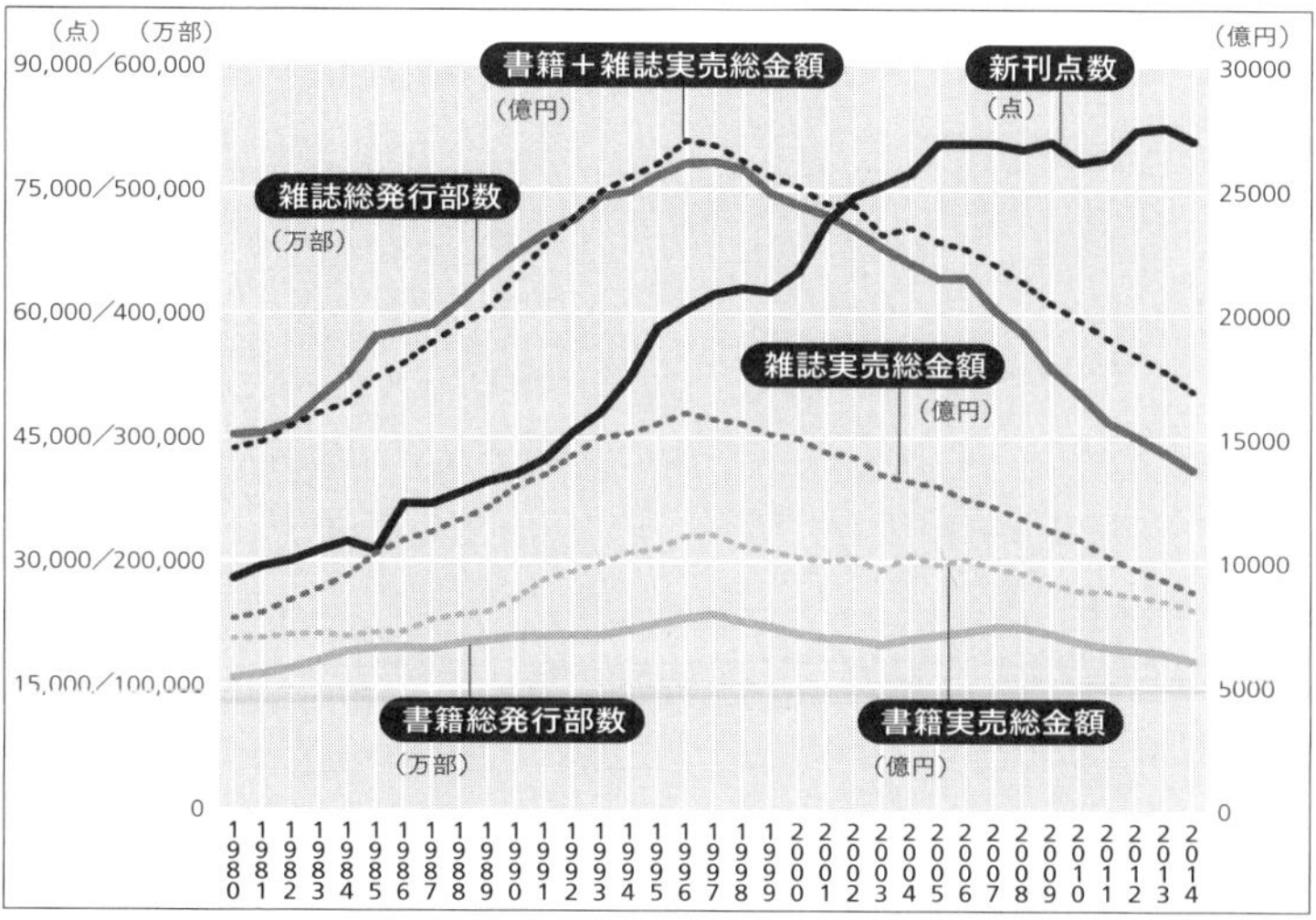

図8-2　『出版年鑑』2017年版より作成

の二〇年間も、もっと言えば、本書が対象にしている一九八〇年代初頭から約三五年間、特に図書館界が最後の数年間を迎えるまで実は一貫して右肩上がりであった、という事実は大きい。

『出版年鑑』（出版ニュース社）各年版によれば、たとえば本書の出発点ともいえる一九八〇（昭和五五）年の書籍の総発行部数は約一〇億五八五〇万冊。実売総金額は約六八七四億円。雑誌の総発行部数は約三〇億一七六〇万冊、実売総金額は約七六六七億円、書籍と雑誌の合計金額は約一兆四五四二億円。

『ず・ぼん』創刊の一九九四（平成六）年には、書籍の総発行部数は約一四億四八五三万冊。実売総金額は一兆三四〇億円。雑誌は約四九億八六二四万冊。実売総金額は約一兆五一五八億円。合計約二兆五四九八億円。そして書籍は一九九七（平成九）年の約一兆一〇六二億円をピークに、雑誌は前年の一九九六（平成八）年の約一兆五九八四億円、合計では同じく一九九六（平成八）年の約二兆六九八〇億円をピークにほぼ毎年少しずつ逓減し始める。最終号（一九号）発行の二〇一四（平成二六）年には、書籍は約八〇八九億円、雑誌は約八八〇三億円、合計一兆六八九二億円にまで減少した。この減少傾向は現在も止まらない。

かいつまんで言えば、出版界は三五年間のうち、前半の約二〇年間は潤沢であり、一時は実売額がほぼ二倍にまで上った。後半の一五年間はその遺産を食い潰し、実売額が三五年前に戻った、と言える【図8－2】。

では一方、図書館はどうか。『日本の図書館─統計と名簿』（日本図書館協会）各年版によれば、一九八〇（昭和五五）年の公共図書館数は一三二〇館、専任職員数は九二一四人。資料費決算額は一〇四億八九九五万円。

一九九四（平成六）年には、図書館数は二二〇七館、専任職員数は一万五二七四人。資料費決算額は三二四億二〇二〇万円。ずっと伸び続けていた資料費決算額は一九九七（平成九）年の三六九億六九七二万円をピークに逓減し始める。

二〇一四（平成二六）年には、図書館数は三二四六館、専任職員数は一万〇九三三人。資料費決算額は二八四億四二六八万円。図書館数以外の減少傾向は止まらない【図8－3】。大学・短大の図書館もほぼ同じ傾向であることに変わりはない。

図書館界も出版界に数年遅れで、同じ傾向を辿っている、と言える。ただ、この三五年の間、図書館数は二倍以上も増え、利用者数（登録者数）は約七六三万人（一九八〇年）から約五五二九万人（二

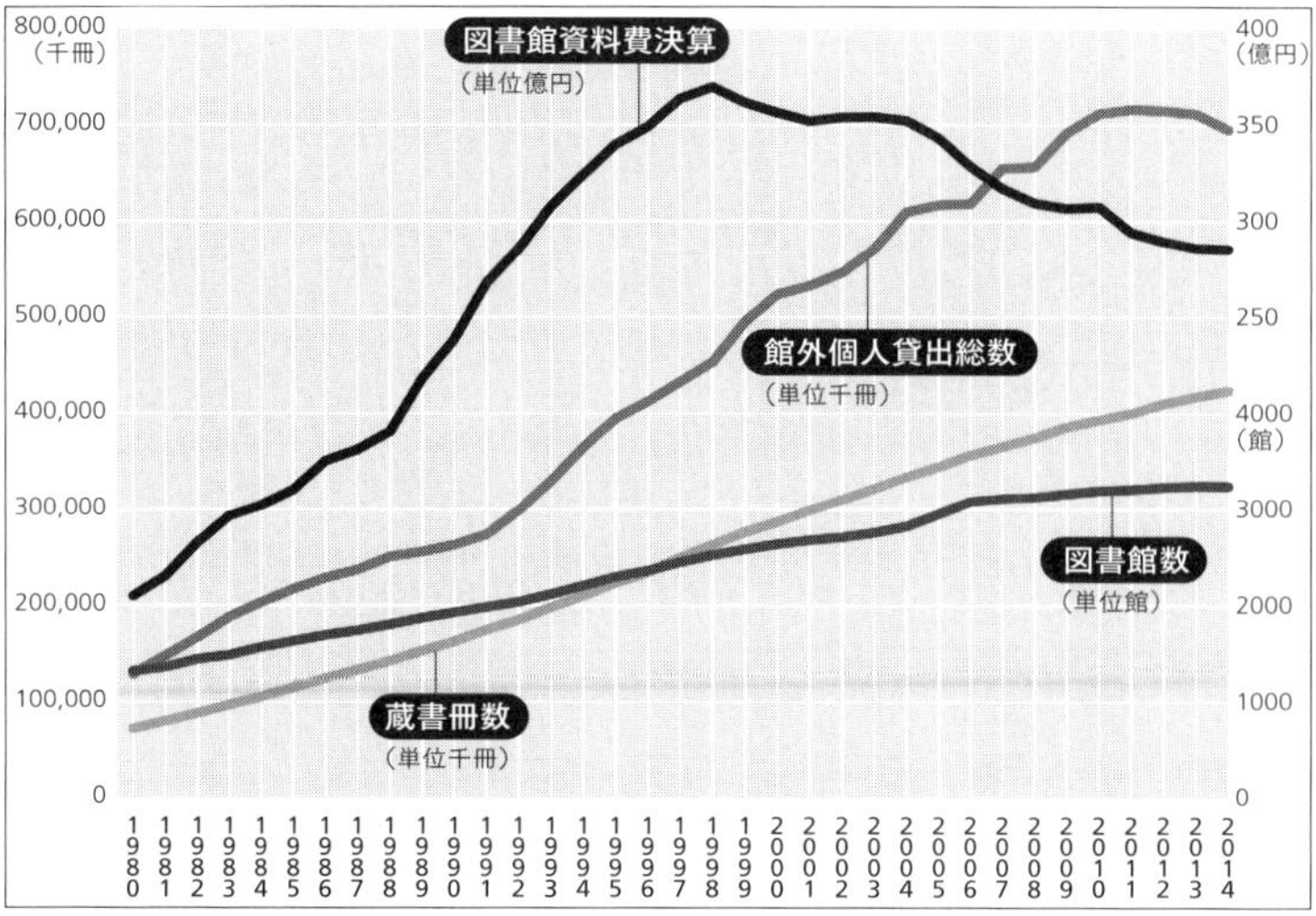

図8-3　『日本の図書館―統計と名簿』各年版より作成

〇一四年）と七倍以上に増えている。個人貸出数は約一億八八一万冊（一九八〇年）から約六億九五二八万冊（二〇一四年）と六・四倍に増えている。資料費が一九九七（平成九）年をピークに減り始めたが、貸出が減り始めたのは二〇一二（平成二四）年以降。一五年のタイムラグがあるが、資料費の減額がボクシングのボディブローのように効いてくるのである。ついでにいえば、指定管理等で奇抜な取り組みがメディアを賑わせている図書館の化けの皮がはがれるのは、一五年もかからない。が、もっと恐ろしいことは、資料費の減額によって収集できなかった資料を後に収集するのは普通考えるよりも困難であり、そのままになることの方が多い。図書館には「保存」という大きな役割があることも忘れてはいけない。

　とはいえ、この三五年の間、図書館が多くの住民に認知されたことは間違いない。利用者（登録者）が日本に住む人の半数近くに上るという公共の施設は他にない。行政が競って複合施設に図書館を入れ、「賑わい」を求めようとしているのも十分理由のあることなのだ。「落ち目」な日本経済の中で図書館は頑張って生き延びている、と言っても良い。とすれば、行政は、安上がりの「賑わい」を図書館に求めるのではなく、資料や人の充実にもっと投資をする方がよほど理にかなっていると思われる。三〇〇〇館以上の図書館に五〇〇〇万人以上の利用者がもう少し満足できる手当をすれば、不況が続く出版界を活性化することもできるし、図書館はその力を十分持っている。

出版不況の中で、『ず・ぼん』は図書館を対象にしたから、二〇年間生きながらえたのである。

最終章

夢と道楽のはざまで――少し長めのあとがき

〈一〉何人かのサンチョ・パンサ

本書は、出来るだけ当時の資料や記録に基づいて記したが、私も当事者の一人であり、矢崎邦子や内藤進夫の支援者であった。ただ私の職場は香川県の文科系小規模の私立大学図書館であった。そのことが多くの運動仲間や友人たちと少し異なった私の立ち位置をつくったように思う。

第一に、東京や大阪という運動の中心近くに居なかったこと。当事者であろうと支援者であろうと、地理的に近い場所にいると運動に当然ついてくるこまごまとした雑用や付き合いから免れることはで

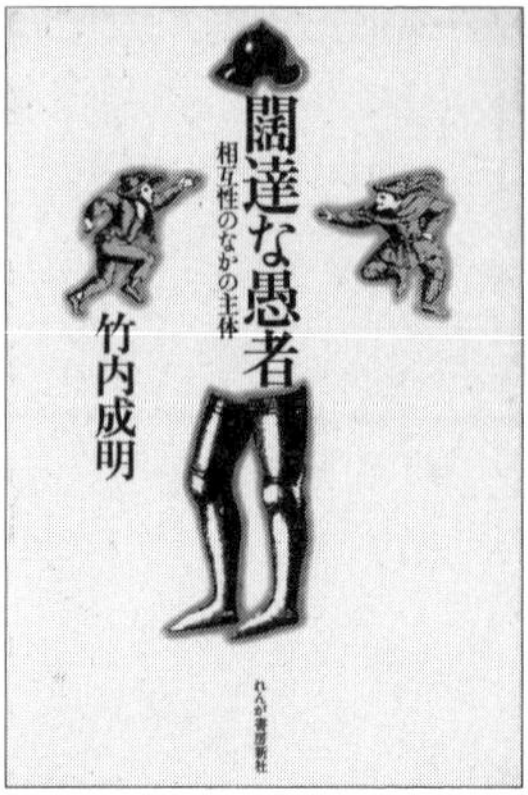

図9-1

きない。それに肝腎の職場の大学図書館は、第三章、第四章、第五章で論じた機械化や学術情報システムと当時はほとんど無関係だった。教職員も図書館を含めた事務のコンピュータ化にはまだそれほど興味を示していなかった。一九八五（昭和六〇）年に教職員合同の労働組合を創ったが、地方のキリスト教主義の文科系小規模大学にそれほど切実な労働問題はなかった。つまり、図書館での仕事を含め、職場にはほとんど不満はなかったのである。そういう意味では、図書館運動の当事者とは言いながら、文章を書くことと大きな集会や研究会へ参加するぐらいで、運動の渦中にはいなかった。

第二に、私自身の性格もあるかも知れないが、何事も意識的にのめり込まないようにしていた（いる）こと。たとえば竹内成明『闊達な愚者―相互性のなかの主体―』（れんが書房新社、一九八〇年）という本がある【図9-1】。一九七〇年代半ばに『展望』（筑摩書房）に執筆していた論文を集めたもので、私は雑誌掲載時から面白いと感じていたのだが、そのなかのドン・キホーテとサンチョ・パンサの関係を論じた「闊達な愚者」には惹かれた。

「サンチョの世界は、自由な往還の世界である。サンチョは日常から旅へ、旅から日常へ往還し、その間を往還することで、自分を夢と日常の往還の場所にする。理想への献身からも、日常への執着からも解放されているゆえに、そこでは狂気と健全が自由にまじわり、自由にまじわることで、そのどちらでもあるようでどちらでもない一つの世界が現われる。それはすでに一つの行動形態である。ドン・キホーテの生き方でもなければ村人の暮らし方でもないもうひとつの行動形態が、すでにそこに現われている」。

岩波文庫で正・続併せて六冊もある『ドン・キホーテ』(永田寛定訳)を読まなくても「サンチョがエエなあ」と思った。その頃私はまだ若かったので、「アーサー・ブラッドは『ドン・キホーテ』を読むには資格がいり、その微妙なユーモアがわかるためには、読者が相当の年齢に達していることと、イスパニア語を知っていることが、不可欠の条件であるという」(『復興期の精神』講談社文庫)花田清輝を信じて、ついに未だに全部読んでいない。サンチョ・パンサだけでなく、文化人類学者の山口昌男が当時よく使った「トリックスター」や「道化」などの概念も似たようなものだが、『道化の民俗学』(新潮社、一九七五年)、『文化と両義性』(岩波書店、一九七五年)、『知の遠近法』(岩波書店、一九七七年)等の著作を矢継ぎ早に刊行する山口の博覧強記には驚いた。私の能力では到底追っかけられないと思い、山口の書くものから遠ざかったが、晩年の『「挫折」の昭和史』(岩波書店、一九九五年)や『「敗者」の精神史』(岩波書店、一九九五年)、『内田魯庵山脈―〈失われた日本人〉発掘―』(晶文社、二〇〇一年)には感心した。ここには何人ものドン・キホーテと何人ものサンチョ・パンサが生き生きと躍動する姿が見事に描かれている。

〈二〉和田洋一の場合

さて、『闊達な愚者』に戻る。その最後の章「ユーモアとイロニー―結びにかえて―」に和田洋一（一九〇三～一九九三）と梯明秀の話が出てくる。著者の竹内成明は、二人の転向体験を和田の「ユーモア」（『灰色のユーモア―私の昭和史ノォト―』理論社、一九五八年）と梯の「イロニー」（『戦後精神の探求』理論社、一九四九年）との類似性と対比で論じているのだが、ここでは和田について書く（竹内のかなりアクロバチックな論理展開を私が要約すればもっと分からなくなりそうなので原文を読んでほしい）。というのも、竹内は、次のように記しているからで、私もその言に共感したからである。

「和田さんは、戦時下の自分の行動を語るにあたって、その表題を『灰色のユーモア』とした。私はこの言葉がたいへん好きだ。自分の行動を「灰色のユーモア」として見つめている和田さんの精神が好きなのだ。その和田さんの眼ざしは、日本の精神風土のなかでは、いまでも異色ではないかとおもう」。

私はこの時すでに「灰色のユーモア」（注1）を読んでおり、「おもろいおっさんや」、と思い、年を取って、仮に時代が息苦しくなっても、この人ぐらいの抵抗?は「やらなアカン」し、「出来るだろう」、と考えていた。じつを言えば、私の学生時代、和田洋一は文学部の新聞学科の教授であることは知っていたが、新聞学科の名物教授は鶴見俊輔であり、和田洋一はもう過去の人、だと思っていた。だから『灰色のユーモア』も『新島襄』(日本基督教団出版局、一九七三年)も和田が中心になって編集した同志社大学人文科学研究所編『戦時下抵抗の研究—キリスト者・自由主義者の場合—』新装版Ⅰ、Ⅱ(みすず書房、一九七八年)も知ったのは鶴見俊輔の本からで、私は鶴見を通して和田洋一のファンになった。

(注1)私が初めに読んだのは一九五八年理論社版『灰色のユーモア—私の昭和史ノォト』ではなく、『私の昭和史—『世界文化』のころ—』(小学館、一九七六年)所収の「灰色のユーモア」。二〇一八年に人文書院から和田の「スケッチ風の自叙伝」と鶴見俊輔「亡命について」(鶴見俊輔・山本明編『抵抗と持続』世界思想社、一九七九年所収)を加えて『灰色のユーモア—私の昭和史』として増補復刻された。この本で「註解」を書いている保阪正康が和田洋一ゼミだったというのを初めて知った。この版には編集部が現代の読者にも分かるように親切な註を付けているが、中井正一の本名を浩(浩は長男の名前)と記したり、帆足計を京都帝大(本文の東京帝大が正しい)と記したりケアレスミスがある。

和田は一九三八(昭和一三)年、京都で「人民戦線」運動をしたということで検挙され、起訴された。検挙の理由は治安維持法違反。和田は当時同志社大学予科のドイツ語教授で、新村猛、真下信一、中井正一、久野収　禰津正志らと『世界文化』という同人雑誌を発行していた。『世界文化』はヨーロッパの反ファシズム関連の論文や美術、映画などを翻訳・紹介することが主な目的で、「国体ヲ変革スルコトヲ目的……」とか「私有財産制度ヲ否認スルコトヲ目的……」とかの治安維持法には違反するものではなく、検閲に引っかかったこともなかった。

和田が検挙される一年前の一九三七（昭和一二）年の秋に先に記した中井、真下、新村、久野、禰津の五人が検挙されていた。けれどクリスチャン家庭で育ち、熱心なクリスチャン学生の和田は、警察に目を付けられ、嫌がらせぐらいはあるとぼんやりと予測はしていたが、まさか治安維持法違反で捕まるとは思ってもいなかった。覚悟もなかったからたちまち食事に不満（わがまま）が出る。下鴨警察署の留置場の食事はお粗末で不味い。食べられないので同じ房のコソ泥に「どうぞ」というとすぐに「がつがつと平らげた」。

「二日目も三日目も、ほとんど何も食べていないのに、食欲は一向に出てこない、自分はここでやせ衰え、次第に気力を失っていくのだろうか。国家権力に刃向って英雄的なたたかい、命がけのたたかいをしてその結果捕まったのなら、はりもあるだろうが、安全地帯と自ら信じていた場所で、控え目に控え目にものをいってきて、それでも引っつかまって、金魚鉢の中の金魚のような状態におかれているということが、いかにもみじめに思われた」（「灰色のユーモア」以下引用は同じ）。

じっさい、和田は警察の筋書き通りの手記を書かされるのだが、特高（特別高等警察）の警官に「マルクス主義の勉強がたらん」としかられ、「君は大学の教授やないか、もっとしっかりせい」とどなられたり、ちょっと懇意になった巡査部長には「和田先生、あんたは警察の取調べにさいして、さっぱりたたかっておらんではないですか。和田先生がマルクス主義者、共産主義者でないことは、誰よりも一番私がよく知っています」。それなのに、マルクス主義者にされてしまって起訴されようとしている。「たたかわなかった、だめじゃないか」と何度も説教される始末。隣の新村は「そうやなあ、和田君はたしかにたたかわなさ過ぎたな」という。その場所が警察近くのおでん屋で留置されている和田と新村猛、それに木下という巡査部長の三人で飲みながらの話だから「ホンマかいな」と思うけれどたしかに面白い。

特高が機嫌の良い時には、銭湯や散歩にも連れて行ってくれた。但し支払いは当然留置されている自分(和田)持ちである。和田らが大学教授などのインテリで、しかも共産主義者でないし、逃亡しないことは明らかなので、ある程度、特高のきまぐれ、留置の未決囚の財布で特高もただ酒や風呂にありつける。和田も書いているが同じ未決囚でも本物と警察が睨んだ者や女性、朝鮮人には容赦のない拷問などを行っていた。それでも誰かが「同じ時期の東京ではまず考えられない、京都という土地柄だ」、と書いていたのを読んだ記憶があるが、そうかもしれない。

ついでながら、最悪死刑という治安維持法下と比べようもないがその昔、私も和田とよく似た留置場体験をした。

大学二回生の一九六八（昭和四三）年一〇月八日、京都の円山公園で全関西規模のベトナム反戦学生集会が開かれた。同志社大学学友会（自治会）の真面目な活動家であった私は、集会後の円山公園から京都市役所前までのデモ行進の先頭のデモ指揮をすることになった。「たぶん逮捕されるかもしれないが、二泊三日の留置場生活を一回ぐらい体験するのもまあ、エエか。どうせ捕まるなら、機動隊に殴られる前にさっさと捕まろう」。

いつもの京都の大学だけのデモでは、四列縦隊で左側通行なのだが、その日は八列縦隊、祇園石段下では、ジグザグデモをする予定になっていた。私の指揮する同志社大学のデモ隊は先頭。カッコよく円山公園を駆け出し、石段下に差し掛かると、何台もの装甲車のサーチライトと紺のヘルメットと戦闘服の機動隊員が大勢待ち構えている。装甲車の上には機動隊の指揮者が「学生諸君、まっすぐ進みなさい。止まるな！」とマイクで怒鳴っている。

二、三回ジグザグデモをすると案の定、機動隊員と私服刑事が走ってきて「こいつ、こいつ、こいつ、逮捕」。頑張ったら、殴られたり、蹴られたり、痛い目に遭うだけなので私は「ハイハイ、分かった」といって、私服刑事に両脇を抱えられてパトカーに乗せられた。着いた先は伏見署の留置場。当時はまだ全共闘運動が盛んになる前で、刑事も留置所の刑務職員も留置場の先客の反物詐欺師の若者もみんな親切だった。詐欺師はお仕着せの留置場の食事は不味いからと言って、何度か差し入れ屋の丼ものを取っていて、私にも二、三度奢ってくれた。留置場の年配の看守も食事後にはタバコをくれて、「あんたもせっかく大学まではいったんやから、勉強せなアカンよ」と言ったりした。検事の聴取も想定通りだったので、三日目か四日目には釈放と思っていたら、呼び出しがかからなかった。八列縦隊のジグザグデモぐらいでまさか起訴されるはずはないのに、おかしいなと刑事に尋ねても要領を得ない。

一週間ほどで出してくれたが、しばらくして起訴状が届いた。京都市公安条例違反。少し前に京都地方裁判所で京都市公安条例は「表現の自由を侵害するので憲法違反」という判決もあったが、私の弁護を担当してくれた若い弁護士の小野誠之さんは、「この裁判官ではまず、無理やなあ。でも、あのぐらいで起訴するかな、まあ罰金ぐらいで済むと思います」と言った。「四列縦隊で整然と歩きなさい」という注意、警告にはたしかに反している。証拠の写真もいっぱい撮られている。事実関係で争っても仕方がない。「表現の自由」は十分?やれた。その後も自治会活動には参加していたがだんだん運動は過激になってきた。以前のように続けるのがしんどくなった。大学は大した理由もないのにバリケード封鎖されたが、下宿で本ばかり読んでいた。一方、裁判はだらだらと四年ほどかかり（何しろ四ヶ月に一度くらいしか開廷しない）、結局、罰金一万円で結審した。結審したときは経済学研究科の大学院生になっていたが、京都の学生運動は四年前とはすっかり変わっていた。昔の学友会（自治会）運動ではなく、本気で「革命」を語り、具体的な「武器」の調達を考え、政府の要人へのテロや武装蜂起

図9-2

を現実の日程に組み込む党派や組織が公然と現れてきていた。そこは私の行く場所ではなくなっていた。

私が「灰色のユーモア」を読んだのはもう少し後だが、当時の私の心境と和田の語り口がうまく共鳴したように今にしてあらためて思う。

「灰色のユーモア」は、和田の一九三八（昭和一三）年六月の検挙から一九三九（昭和一四）年一二月に懲役二年、執行猶予三年の有罪判決を受けるまでの留置場生活を記しているが、竹内が言うように、和田洋一もまた「もうひとりのサンチョ・パンサ」であった。

〈三〉斎藤雷太郎の場合

和田洋一が私の好きな「サンチョ・パンサ」の一人なら、好きかどうかは分からないけれど、「えらいなあ」、「立派やなあ」と思う「もうひとりのサンチョ・パンサ」がいる。斎藤雷太郎（一九〇三〜一九九七）。『土曜日』という先の『世界文化』の同人たちが同じ京都で同時期発行していた週刊文化新聞の編集、発行名義人。

『復刻土曜日』（三一書房、一九七四年）（注2）【図9-2】の解説「文化新聞『土曜日』の復刻によせて」で当時の仲間の一人久野収は「『土曜日』は『世界文化』よりもはるかにユニックであるし、その意味はずっと大きい」と言い、『世界文化』は紹介的、解説的であるが、『土曜日』の方は、日本の天皇制ファシズムが中国侵略のコースをひた走る険悪な状況の中で、一つの創造的、大衆的実践を試み、新らしい地平を切り開いたのである」と、絶賛する。

（注2）『復刻土曜日』（三一書房）には欠号があるが、中村勝著、井上史編『キネマ／新聞／カフェー――大部屋俳優・斎藤雷太郎と『土曜日』の時代――』（ヘウレーカ、二〇一九年）の編者井上によれば、その後創刊号（一九三六年七月四日）から第四四号（一九三七年一一月五日）まですべて揃い、完全復刻版発行の企画もあったという。

その地平とは、「大衆自身の新聞、大衆自身の文化をつくりだすために、知識人はどう活動するのがよいかを実験してみせた点で、実に創造的であった」と、熱く記している。事実、月二回のタブロイド型新聞形式で、最盛期は八〇〇〇部ほども売れたので、知識人久野が感激するのも無理はない。和田洋一も「灰色のユーモア」で、一方の『世界文化』の固定読者は「おそらく二百名には達していなかっただろう」としていう。

「私たちはポケットマネーで材料を買い、原稿料なしの原稿をかき、毎月雑誌の印刷代を負担していたのだから、一方で大いに売って、マイナスをプラスにすることを考えるべきだったのに、そうはしなかった。売るということは収入をあげるというだけではなく、反ファシズムの宣伝がそれだけ多くなされるのだから、その意味からも馬力をかけるべきであったのに、やらなかった。これも愚かしい事の一つである。『世界文化』は自己満足に過ぎないという批判は、こうした点にあてはまると思われる」。さらに『土曜日』についても次のように書く。

「『土曜日』は庶民にとって親しみやすい形式内容のものであったし、特に日本の政権担当者、軍部、警察、国粋主義者などにたいするあてこすりやからかいが好評をはくした。京都市内のあちこちの喫茶店に『土曜日』が三十部五十部とおかれていて、それがみるみるうちに売れてゆくという噂を私たちはよくきいた。また、『世界文化』は読者が少なくかぎられているからたいしたことはないが、『土曜日』は大衆を相手にしていて影響力が大きいというので、警察がひどく目を光らしだした、という噂も一度ならず耳にした」(以上前掲「灰色のユーモア」)。

後に私が『ず・ぼん』の編集と発行に加わったとき、沢辺の「売れる雑誌にしたい」に共感し、自分でもかなり強引と思いながら売り回ったのは、和田の上記のような反省の弁が印象に残っていたからでもある。

さて、斎藤雷太郎である。『土曜日』創刊(一九三六年七月、月二回発行)時、斎藤は京都松竹下加茂撮影所の大部屋俳優だった。先の『復刻土曜日』に斉藤は、「『土曜日』について」という発行の経緯を記しているが、この文章が具体的で分かりやすく、面白い。それによると、斎藤は「京都の撮影所に働くひとびとの親睦と向上を目標にし」た『京都スタヂオ通信』(一九三五年)を一人で発行していた。が、時事問題を書くためには五百円の保証金がいる。なんとか工面して翌年（一九三六年）に「有保証」になったので、文化人にも執筆を依頼した。その中から特に能勢克男（一八九四―一九七九）と中井正一（一九〇〇―一九五二）が協力してくれて『京都スタヂオ通信』を改題して『土曜日』として発行するようになった。当時、能勢は弁護士で自ら設立に関わった京都消費組合の組合長。中井は京都帝大文学部哲学科講師だった。

「検閲を除いて、どの方面にも気兼ねなくかけるタブロイド六ページの紙面確保に私（斎藤）が責任を持ち、能勢さん、中井さんが原稿面確保に責任を持つ、当時学生の間に人気のある、林要氏の名をかりて表面に出すこと、原稿は無記名、編集は能勢さん、中井さん、斎藤の合意でやること等が話しあわれた」。

「読者の目標は、小学卒から中学卒位までの一般庶民で、良い内容を平易に書いて、親しみやすいもの、そして学生やサラリーマンでも興味のもてるもの、これは私の希望でした。独善的な強がりや、先走ったことはさけ、良心的な商業誌としてのたてまえをとった」（以上「『土曜日』について」）。

久野の懐古と矜持が過剰気味な文体と比べて斎藤はどこまでも冷静で具体的である。もう少し引用を許してほしい。斎藤の販売戦略もなかなかのもので、他の編集委員の能勢と中井にはまず思いつかない。当初二〇〇〇部（一部三銭）を発行したが、売行きは悪い。馴染もなく、宣伝もしないので当

図9-3

然だが、斎藤は、執筆者にも取次にも広告主にも「売行は上々と誰にでも宣伝した」。「宣伝をかねて、広告主の喫茶店、その他の店へ、二三十部ずつ無料進呈した」。無料なら客も気まぐれでも読む。評判は上がる。で、最盛期には七、八千部部も売れた。だが、その『土曜日』も一九三七（昭和一二）年一一月五日発行の通算四四号で廃刊。この年の一一月八日、斎藤は特高の手によって検挙される。中井正一も新村猛も真下信一も『学生評論』の草野昌彦も同じ日。続いて久野収や禰津正志も。そして翌一九三八（昭和一三）年六月二四日には能勢克男と和田洋一が検挙されていく。

「『土曜日』はすべて能率的であった。弾圧を喰うまでは、関係者の負担は思ったより軽くすんだ。執筆者は期日までに原稿をとどけ、印刷所は期日通り仕上げ、広告主は代金をすぐ支払ってくれた。まとめて送った先もすぐ送金してくれる。無駄手間は少なくもなかった《ママ》。少額だが何時も黒字で、印刷所をはじめ誰にも金の迷惑はかけなかった。乏しいものであるが、誠実な行動に裏づけられた、良心の成果であった」（以上前掲「『土曜日』について」）。

ところで、『土曜日』は久野の解説にあるように、フランスの人民戦線の文化週刊紙『ヴァンドルディ』（金曜日）に倣ったということから京都の知識人の反ファシズム文化運動として戦後、高い評価を受けていた。私も『土曜日』を知ったのは中井正一に興味を持っていたからで、てんびん社版の中井正一『アフォリズム』（冨岡益五郎編、一九七三年）所収の『土曜日』の巻頭言には魅せられた。同じ頃（一九七四年）『土曜日』の復刻版が出て、上記の斎藤の「『土曜日』について」が載っていたが、どんな人物か分からなかった。「権力への配慮で無名の人を名義人に仕立てたのかもしれない。そんな知恵は誰が思いついたんだろう。地下の共産党かもしれない。」などと、権力が考えるようなことをふと、私も思った。

少しして、伊藤俊也『幻の「スタヂオ通信」へ』（れんが書房新社、一九七八年）が出た【図9－3】。伊藤俊也は梶芽衣子主演の「女囚さそり」などの東映の映画監督でたまたま橋川文三編『日本の百年四・アジア解放の夢』（筑摩書房、一九六二年）で『京都スタヂオ通信』と『土曜日』、そして斎藤雷太郎の名前を知る。当時『京都スタヂオ通信』（現在もない）も『土曜日』も国立国会図書館にもなかった。斎藤雷太郎も無名、本名かどうかも分からない。伊藤は国会図書館で京都市の電話帳を半ばやけくそで繰ると「斎藤雷太郎」の名前が見つかる。早速訪ねると京都千本今出川西入るの住所に古着屋「民主生活社。サイトウ」の看板が見えた。

伊藤自身も『大泉スタヂオ通信』（一九七三年～一九七五年）を二二号まで発行する。この本は『大泉スタヂオ通信』に連載された『『京都スタヂオ通信』と斎藤雷太郎」が中心だが、この本で斎藤がとてつもなく凄い人だ、と知った。

『幻の「スタヂオ通信」へ』を読んで、もう一度『復刻土曜日』の斎藤の「『土曜日』について」を読むと伊藤俊也が、そして私も斎藤のどこに魅力を感じたかが分かるような気がする。

また斎藤の文章に戻る。斎藤は以前から少し非合法運動にも関係していたので、その難しさも知っている、という。革命運動に誰でも彼でも参加させたら、犠牲ばかり多く、実効はあがらず、「あたら善意と熱意を持った人々を犬死させ」ることになる。だから、「私は非合法運動する程の強固な意志も能力も持たないので、自分の能力にあったやりかたで、自分の善意を生かそうと思った」。

『京都スタヂオ通信』は人々の善意と熱意を組織し、お互いが親しみ、はげましあうことによって、人間的に成長して自覚分子となり、無産政党に投票するようになる。それ以上の発展は、各自の意志と能力にしたがって、各自がきめる。新聞はかくれた人物の発見と組織に有力な働きをすると思った」。

明らかに、戦前の日本共産党の闘争方針を批判し、同じく戦後の連合赤軍をはじめとする過激派をも批判している。ここでは、斎藤は極めて謙虚で良識的な知識人の真っ当な発言をしているように見える。ところが、一方ではこんな発言もする。

「私は松竹下加茂撮影所で働いていたが、自分の値打の半分位の月給しか貰ってないので、仕事も半月か二〇日位しか働かないことにしていた。それ以上は腹痛とか、風邪をひいたとかいって休むので、いく度か首になりかけたが、その都度なんとか切りぬけて来た。そのかわり何年たっても月給は上らず役もつかなかった。ズボラで通して来たので、新聞の用事で自由に休んでも会社はあまり文句はいわなかった。会社も時には連続徹夜の激しい労働強化をやるので、強い態度をとれない弱みもあった」（以上前掲「『土曜日』について」）。

同じような発言は伊藤の本にも引用されているのだが、この箇所を初めて読んだとき私は、上野英信『地の底の笑い話』（岩波新書、一九六七年）に出てくる「スカブラ」だ、と思った。「スカブラ」とは、「仕事スカズノブラブラ」とか「スカッとしてブラブラしちょる」とかからきているらしいが、炭鉱の過酷な地下労働のなかで、いつも仕事をさぼって遊んでばかりいる。みんなが一所懸命に働いているのに、へらへらバカ話ばかりしている。普通なら現場の小頭や監督に怒られるが、「スカちゃん」として仲間からも愛される。もちろんそのためには、知恵や要領、機転や頓智、狡知が必要だが、いざという時、つまり危険が本当に仲間たちに降りかかるときには、先頭に立って誰よりも活躍する能力を持っている。だから周囲は「スカブラ」を認めている。

「スカブラとは、もっとも絶望的な秒読みの音に肉体を刻まれつつ生きてゆく楽天主義の名でなければならぬ」と上野は一九六七（昭和四二）年に記しているが、「ばってん、いまの炭鉱にはスカブラもおらんごとなってしもうた。坑内に下っても、全然面白うなか。スカブラのおらん炭鉱なんち、まったく意味なかよ」という炭鉱労働者の声も同時に記している。

「スカブラ」もまた道化であり、トリックスターであり、サンチョ・パンサである。

また別のところでは斎藤はこんなことも平気で言う。

「自分でいうのもおかしいけど、私は事業をやれる人間だと思っているのですよ。新聞をやっていたら、おそらくやれた。でも、総会屋のような人間になっていたかも知れない。映画にいたときでも、もう少し要領よく監督につけ入って、月給の十円や二十円あげることはできたと思うが、見栄でそれはできなかった。それが人間の誇りというものではないかな、それをやらなかったということは。私の人生をふりかえって結局、貧乏人に対する裏切りができなかった、ということだと思う」（中村勝著、井上史編『キネマ／新聞／カフェー──大部屋俳優・斎藤雷太郎と『土曜日』の時代──』ヘウレーカ、二〇一九年）。

じっさい、斎藤（一九〇三年生）は、自分より年長で知識人の能勢（一八九四年生）や中井（一九〇〇年生）を巧みに使いこなす。斎藤の夢は自分の『京都スタヂオ通信』を当時出ていた『セルパン』（第一書房発行・定価十銭の文化雑誌）の大衆新聞化したものへ脱皮させること。それに必要な書き手を中井と能勢の伝手を頼って集める。この二人とは「いろいろ話すうちにお互いの考え方や人柄に信頼が生まれて、これならやれると思った」。斎藤には何事においても何処が勘所なのか。勘所をしっかり押さえるためにはどこをどうすれば巧くいくか、おそらく若いころからのいろんな体験を通してその勘所の押さえ方を身に着けていたのであろう。見事という他ない。

権力に対しても斎藤は十分用心し、配慮した。「反動の風がきびしいので、なるべく会合は能勢さん、中井さん私だけにして、他の執筆者との連絡は、個々にするようにした」（前掲「『土曜日』について」）。巻頭言の多くを執筆した中井正一の名前を表に出さなかったのも、京都帝大の助教授のポストが目の前であり、競争者の中傷や権力の弾圧の口実を与えないための斎藤の配慮だった（久野、前掲解説）。

とはいえ、斎藤の細心の注意も権力は見逃さない。先にも記したように斎藤も一九三七（昭和一二）年一一月八日に検挙される。

「後日警察で、たいしたことも書いてない『土曜日』をなぜ弾圧するのかと問うと、一部ずつ見ていればたいしたことはないが、続けて見ていると、反社会性の精神が流れているのがはっきりわかる。それが読者に大きな影響をあたえるので、問題になるのだとの答えだった。いいところを見ていると思ったが、結局、権力に反対するものは、どんなものでも何時かは弾圧される。口実は後からいくらでもつくということである」（前掲「『土曜日』について」）。

「花は鉄路の盛り土の上にも咲く」（創刊号、一九三六年七月四日）、「虚しいと云う感じだけに立止るまい」（第十五号、一九三六年八月一五日）、「ポーズに気付いた瞬間に行動は空虚となる」（第十七号、一九三六年九月一九日）、「人間は人間を馬鹿にしてはならない」（第三十号、一九三七年四月五日）、「社会正義を抜け殻にするな」（第三十五号、一九三七年六月二〇日）、「誇りは誤りをふみしめるところにのみある」（第四十三号、一九三七年一〇月二〇日）等々。厳しい検閲下に何の衒いもなく見事な正論を堂々と巻頭言に書く中井正一は、正真正銘のドン・キホーテであった。事実、中井ドン・キホーテは戦後、国立国会図書館副館長として五二歳で殉職するまで走り続けた。

中井正一ドン・キホーテに寄り添いながら、巧みに使いこなし、『土曜日』を成功させた斎藤雷太郎サンチョ・パンサの経営手腕はもっともっと評価されてもよい。

その後斎藤は、吉本興業に一時、籍を置いたこともあったが、徴用を経て戦後は市井の古物商として生きる。『土曜日』の復刊も考えたが、家族も四人になり、自分の力でやれること—民主勢力へのカンパをしたり街頭録音、ラジオ討論会などに積極的にでかけたりする生活を楽しんだという（前掲『キネマ／新聞／カフェー』）。

〈四〉夢と道楽のはざまで

さて、少し話が長くなってきたが、『ず・ぼん』を出すと決まったとき、私がまず思い描いたのは『土曜日』だった。図書館という、社会の最前線からは一歩引いた世界で同人誌的な業界誌ではなく、一般向けの雑誌を出す意味。その雑誌を継続させるだけの能力がわれわれにあるのか。

第八章でも統計に少し触れたが、『日本の図書館─統計と名簿』(日本図書館協会) 各年版によれば、『ず・ぼん』創刊(一九九四年) 当時の公共図書館数は二二〇七館。図書館資料費(決算額) は三四〇億三〇二七万円。職員数は一万五二七四人、臨時職員数は五一〇一人の計二万三七五人。大学図書館数は一〇五九館、短期大学図書館と高専図書館は五一五館、合計一五七四館。資料費は大学、短大、高専合わせた六九七億八七〇五万円。職員数は、九三七七人、兼任・臨時が五八二〇人の計一万五一九七人。他に学校図書館法という法律に定められた小中高の学校図書館が全国にいっぱいある。その頃はまだ法的根拠はなかったが学校図書館司書もいる。さらに公共図書館を団体で利用する子ども文庫のお母さんやお父さんも全国にいっぱいいる。バブルははじけたとはいえ、まだまだ図書館は右肩上がり。少しぐらい不況になれば図書館の利用者は逆に増える可能性もある。

とすれば、われわれの出す雑誌でも企画が良ければ、二〇〇〇部や三〇〇〇部ぐらいはすぐ売れるはずだ。具体的には公共と大学で最低五〇〇〇部。図書館職員と図書館学関係教員で最低一〇〇〇部。

その他司書志望の学生や子ども文庫関係者や図書館応援団等で最低一〇〇〇部。なんとか赤字を出さずに回るのではないか。そんなことを私は考えていた。

そうは思いながらホントのことを言えば、私には売れるだろう企画も具体的なアイデアもほとんどない。先にも記したように、地方の文科系の小規模大学の図書館勤務で楽しかったし、先述した運動もいわば助っ人のようなもの。図書館事業基本法や学術情報システムにしても、こんなものはできなくてもよい、と思っているが、多分そのうちできてしまうのだろう、と思っていた。公共図書館の未来については、各自治体に図書館が設置されて、図書費がもっともっと増えて、「図書館の自由」が徹底できるような有能な館長が置かれ、つまり「市民の図書館」が充実できれば、良い。

大学図書館での私の希望は、資料の住民開放。最近は大学図書館の開放はいろんな制約があるものの かなり実現したが、当時はそうではなかった。これも「図書館の自由」の実現である。学術情報システムもいずれ実現する、とは思っていたが、何故そんなに強引に急ぐのか。とくに自然科学系の教員の要求が強いと当時言われていたが、谷沢永一ではないが、研究者なら自分の専門分野の情報ぐらい自分で把握しとけ、ぐらいに思っていた。

私がもうちょっと勉強したいと思っていたのは図書館の過去。図書館で飯を食えたらいいな、と思ったのは、図書館の仕事は他人の生殺与奪とは程遠い、と思ったこと。「一冊の本が私の人生を変えた」、などとよく言うが、図書館員が紹介した本でも図書館員に責任はない。「図書館は中立」なのだ。この「中立」というのを図書館に就職する五十年ほど前はもっと素朴に考えていた。というより、世の中の厳しい競争や政治的な駆け引きなどの第一線から少し引いたところで好きな本を触りながら飯が食えたらエエなあ、と考えていた。ところが、本書で記したように、図書館の世界にもいろんな問題がいっぱいあることを知った。そうした問題は別にいま、始まったことではない、ということも知った。さらに国内の図書館だけではなく、台湾や朝鮮の植民地や満洲などにも図書館の負の歴史があることを知った。もうちょっと図書館の歴史を知りたい。「図書館は中立」で静かに本を触っていたら、「それでよい」、というだけではなさそうだ。

とはいっても、図書館の過去とか歴史をテーマに特集を組んでもそれほど売れるわけがない。司書取得の為の大学での講義でも「図書館の歴史」は選択科目である。図書館学自体がきわめて実践的な実学と位置付けられているので、時論的な問題が優先されるし、読者の興味もそちらの方に向く。私には編集委員の一人として毎回、時機に適ったテーマや企画を出せる能力はない。まあ、そのあたりは実質編集長役の堀渡をはじめとする東京近辺の現場の図書館員に任せておけばよい。彼らはみんなれっきとしたドン・キホーテたちだ。私の見るところサンチョ・パンサ的資質を多く持っているのは沢辺均ぐらい。であるなら、私もサンチョ的部分を意識的に出す方が面白い。ま、そんな調子で約二〇年間続いた。

『土曜日』は「此の新聞は、読む凡ての人々が書く新聞である」ことを標榜していた。じっさい、「非常に沢山の投書で、紙面に載せきれない。本号は七〇パーセント投書で埋めた。『文芸批評』『映画評』の如きも投書を以て組み立ててみた」(第四十二号、一九三七年一〇月五日)と「編集後記」に

（N）名で記されている。Nは能勢克男。

『ず・ぼん』も読者からの反応を次回の誌面に載せて、堀が「『ず・ぼん』の夢」で語った「論争」や「対話」が出来ればよい、と私も考えていて、編集委員会で話したかどうか忘れたが、『ず・ぼん』も初期のころはかなり読者の頁があったが、七号でなくなった。でも、『土曜日』は月二回刊。『ず・ぼん』は年刊。当初は半年刊を目指していたが、われわれの力量では難しい。とすれば、読者の反応を載せ、まして論争や対話を誌面で展開するのは困難。炭酸の抜けたビールどころかアルコールまで抜けてしまう。最低でも『図書館雑誌』や『みんなの図書館』のような月刊でなければ新鮮な論争はできないだろう。というより、図書館員同士が侃々諤々、喧々囂々、「論争」なぞしている暇はなくなったのだろう。『図書館雑誌』でも『みんなの図書館』でも論争など何年も見たことがない。思えば本書で触れた『大学の図書館』での論争（喧嘩）が妙に懐かしい。

と、まあ、そんなこんなで私の図書館生活は何人ものドン・キホーテや何人ものサンチョ・パンサに恵まれた。思いつくままに名前を挙げれば、「図書館の世界にも面白いことがいっぱいあるんや」と私を半ば強引に引きずり込んだ追手門学院大学図書館（以下当時の所属、敬称略）の胸永等、同じく追手門学院大学の沢田容子、井上晶子、山川夏雄、三橋秀子、吹田市立図書館の太田俊男、神戸新和女子大学図書館の室伏修司、京都大学霊長類研究所図書室の河田いこひ、大阪経済大学の池野高理（重男）、旭屋書店の湯浅俊彦、それに闘いの当事者であった大阪大学付属図書館の矢崎邦子、兵庫県立図書館の内藤進夫、関東では、いろんな運動の当初から『ず・ぼん』の終刊までずっと付き合ってくれた国分寺市立図書館の堀渡、東京工業大学図書館の中村秀子、東京大学附属総合図書館の大竹多聞、河村宏、国立国会図書館の加藤一夫、東京の学校事務労働者の宮崎俊郎、埼玉県立図書館の真々田忠夫、杉並区立図書館の柏木美枝子等々はいろんな集会でなんども顔を合わせた。四国学院大学図書館の大塚操と藤尾豊は『ず・ぼん』の創刊時に出資協力してくれた。町田市立図書館の手嶋孝典、立川市立図書館の斎藤誠一、練馬区立図書館の小形亮、ポット出版の沢辺均、同じく佐藤智砂、那須ゆかり、それに先の堀と真々田とは『ず・ぼん』編集委員会で何十回も会った。まだまだお世話になった人たち、懐かしい人たちはいっぱいいる。

当時の資料や事実関係の確認でお世話になった太田俊男氏と、『ず・ぼん』終刊まで付き合い、かつ本書の編集・出版を快諾してくれた沢辺均氏、それに「アホ」な私の活動を笑って許してくれている妻、鈴代に感謝する。

数年以前からずっと気になっていた本書をなんとか書き上げられた。私よりもっともっと熱心に活動した仲間、特に復職闘争の当事者である矢崎邦子さんと内藤進夫さんには不十分な内容で、不満もあると思うが、許してほしい。

みんなと出会うきっかけを私に与え、最後まで正真正銘のドン・キホーテを演じて?今春（二〇二〇年）逝ってしまった畏友胸永等に本書を捧げたい。

（二〇二〇年十二月）

◉主な参考資料

●著者名（五十音順）

伊藤俊也／『幻の「スタヂオ通信」へ』／れんが書房新社／1978年
岩猿敏生／『日本図書館学の奔流 岩猿敏生著作集』／日本図書館研究会／2018年
上野英信／『地の底の笑い話』／岩波新書／1967年
海老沢処分撤回闘争記録刊行会編／『十一・一六佐藤訪米阻止闘争と国立国会図書館―一女子職員の起訴休職処分をめぐって―』／同刊行会／1971年
海老沢君の行政訴訟を支援する会編／『強権と退廃に抗して―海老沢君の休職処分取消を求める行政訴訟の記録―』／同支援する会／1973年
海老沢君の行政訴訟を支援する会編／『〝たたかい〟を語りつぐために―海老沢さんの「失職」にあたっての感想集―』／同支援する会／1976年
オーウェル、G　新庄哲夫訳／『1984年』／ハヤカワNV文庫／1972年
岡村敬二／『図書館意志論のために』／図書館を考える会／1986年
学術情報システムを考える会編／『巨大情報システムと図書館』／技術と人間／1988年

学術審議会／「今後における学術情報システムの在り方について（答申）」／『学術月報』第32巻第11号、1980年2月号

梯明秀／『戦後精神の探求』／理論社／1949年

加藤一夫、河田いこひ、東條文規／『日本の植民地図書館―アジアにおける日本近代図書館史』／社会評論社／2005年

加藤一夫／『記憶装置の解体―国立国会図書館の「原点」』／エスエル出版会／1989年

加藤一夫／『情報社会の対蹠地点―図書館と幻想のネットワーク』／社会評論社／1992年

かみかた機械化研究グループ編／『「学術情報システム」その現状と課題―研究情報と大学図書館のゆくえ―』（大図研シリーズNo.9）／大学図書館問題研究会出版部／1985年

かみかた機械化研究グループ編／『文部省学術情報システムへの評価と提言』1986年8月版（大図研シリーズNo.10）／大学図書館問題研究会出版部／1986年

河田いこひ／「アジア侵略と朝鮮総督府図書館―もうひとつの近代日本図書館史序説―」1～5／『月刊　状況と主体』140号（1987年8月）～144号（1987年12月）

技術と人間編集部編／『増補改訂版コンピュータ化社会と人間―人間にとって、社会にとって、コンピュータとは何か―』／技術と人間／1980年

気谷陽子／「学術情報システムのもとでの大学図書館サービスの展開」／『日本図書館情報学会誌』第49巻第4号、2003年12月

気谷陽子／「「学術情報システム」の総体としての蔵書における未所蔵図書の発生」／『日本図書館情報学会誌』第53巻第2号、2007年6月

巨大情報システムを考える会編／『不思議の国の「大学改革」』（変貌する大学①）／社会評論社／1994年

巨大情報システムを考える会編／『国際化と「大学立国」―あるいは「真理教」五〇年目の収支決算―』（変貌する大学②）／社会評論社／1995年

巨大情報システムを考える会編／『学問が情報と呼ばれる日―インターネットで大学が変わる―』（変貌する

大学③）／社会評論社／１９９７年
巨大情報システムを考える会編／『〈知〉の植民地支配』（変貌する大学④）／社会評論社／１９９８年
巨大情報システムを考える会編／『グローバル化のなかの大学―根源からの問い―』（変貌する大学⑤）／社会評論社／２０００年
久野収／「文化新聞『土曜日』の復刻によせて」／『復刻土曜日』／三一書房／１９７４年
栗原均／「〈仮称〉図書館事業振興法の推進について〈報告〉」／『図書館雑誌』第75巻第5号、１９８１年5月号
栗原均／「図書館事業振興法（仮称）について―報告・その2―」／『図書館雑誌』第75巻第6号、１９８１年6月号
栗原均／「図書館事業振興法（仮称）について―報告・その3―」／『図書館雑誌』第75巻第7号、１９８１年7月号
栗原均／「図書館事業振興法（仮称）について―報告・その4―」／『図書館雑誌』第75巻第8号、１９８１年8月号
栗原均／「図書館事業振興法（仮称）について―報告・その5―」／『図書館雑誌』第75巻第9号、１９８１年9月号
栗原均／「図書館事業振興法（仮称）について―報告・その6―」／『図書館雑誌』第75巻第10号、１９８１年10月号
栗原均／「図書館事業振興法（仮称）について―報告・その7―」／『図書館雑誌』第75巻第12号、１９８１年12月号
栗原均／「図書館事業振興法（仮称）について―報告・その8―」／『図書館雑誌』第76巻第1号、１９８２年1月号
栗原均／「図書館事業振興法（仮称）について―報告・その9―」／『図書館雑誌』第76巻第2号、１９８２年2月号

黒木亮／『法服の王国―小説裁判官―』上、下／岩波現代文庫／２０１６年
斎藤雷太郎「『土曜日』について」／『復刻土曜日』／三一書房／１９７４年
沢辺均／「ぼくが『ずぼん』でめざすこと」／『月刊自治研』１９９４年４月号
『世界文化』同人編／『世界文化』復刻全３巻／小学館／１９７５年
セルバンテス　永田寛定訳／『ドン・キホーテ正編』１～３巻／岩波文庫／１９４８年～１９５１年
セルバンテス　永田寛定訳、高橋正武訳／『ドン・キホーテ続編』１～３巻／岩波文庫／１９５３年～１９７７年
高木仁三郎／『危機の科学』／朝日新聞社／１９８１年
竹内成明／『闊達な愚者―相互性のなかの主体―』／れんが書房新社／１９８０年
竹田義則／『誤算―コンピュータ社会の恐怖―』／日本工業新聞社／１９８０年
田中圭太郎／「東京大学が独自ルールで８０００人の大半を雇い止めか」／『週刊金曜日』２０１７年９月８日号
津川敬、鈴木茂治／『くたばれコンピュートピア！―労働現場のシステム化と国民総背番号制―』／柘植書房／１９７６年
鶴見俊輔／『鶴見俊輔集』10「日常生活の思想」／筑摩書房／１９９２年
同志社大学人文科学研究所編／『戦時下抵抗の研究―キリスト者・自由主義者の場合―』新装版Ⅰ、Ⅱ／みすず書房／１９７８年
東條文規／『図書館という軌跡』／ポット出版／２００９年
東條文規、堀渡／「ロングインタビュー　異色の図書館人栗原均」／『ず・ぼん―図書館とメディアの本』⑨／ポット出版／２００４年
遠山敦子／「大学図書館の発展を期して」／『大学図書館協力ニュース』第１巻第１号、１９８０年５・６月
渡海伸、津川敬／『コンピュータの急所』／三一新書／１９８３年
富山県立近代美術館問題を考える会編著／『富山近代美術館問題・全記録―裁かれた天皇コラージュ』／桂書

房／２００１年
内藤君の復職をかちとる会事務局編／『失職処分は無効、職場をかえせ：兵庫県立図書館内藤さんの復職闘争、５年間の記録』／同かちとる会事務局／１９８５年
内藤君の復職をかちとる会事務局編／『失職処分は無効、職場をかえせⅡ：兵庫県立図書館内藤さんの復職闘争、９年間の記録』／同かちとる会事務局／１９８９年
中井正一著、冨岡益五郎編／『アフォリズム』／てんびん社／１９７３年
中村勝著、井上史編／『キネマ／新聞／カフェー――大部屋俳優・斎藤雷太郎と『土曜日』の時代――』／ヘウレーカ／２０１９年
中山茂／『科学と社会の現代史』／岩波書店／１９８１年
日本図書館協会図書館の自由に関する調査委員会編／『「広島県立図書館問題」に学ぶ「図書館の自由」――『長野市史考』の経験を踏まえて――』「図書館と自由」第７集／日本図書館協会／１９８５年
日本図書館協会図書館の自由に関する調査委員会編／『図書館の自由に関する事例33選』「図書館と自由」第14集／日本図書館協会／１９９７年
橋川文三編／『日本の百年４・アジア解放の夢』／筑摩書房／１９６２年
花田清輝／『復興期の精神』／講談社文庫／１９７４年
平野次郎／「労契法根拠に雇い止めと闘う国立大学非常勤職員」／『週刊金曜日』２０１７年９月８日号
「広場」編集委員会／『広場　複製版』／同編集委員会／１９９４年
堀渡／「『ず・ぼん――図書館とメディアの本』の創刊」／『出版ニュース』１９９４年９月中旬号
三角太郎／「２０２０年のＮＡＣＳＩＳ-ＣＡＴ検討作業部会の検討状況」／『図書館雑誌』第１１１巻第８号、２０１７年８月号
薬袋秀樹／『図書館運動は何を残したか――図書館員の専門性――』／勁草書房／２００１年
矢崎さんの裁判闘争を支援し不当解雇を撤回させる会編／『５・31「矢崎さんの裁判闘争を支援し不当解雇を撤回させる会」決起集会報告集』／同撤回させる会／１９８５年

山口昌男／『道化の民俗学』／新潮社／1975年
山口昌男／『文化と両義性』／岩波書店／1975年
山口昌男／『知の遠近法』／岩波書店／1977年
山口昌男／『「挫折」の昭和史』／岩波書店／1995年
山口昌男／『「敗者」の精神史』／岩波書店／1995年
山口昌男／『内田魯庵山脈―〈失われた日本人〉発掘』／晶文社／2001年
山下信庸／『図書館の自由と中立性』／鹿島出版会制作／1983年
山之内靖／『総力戦体制』／ちくま学芸文庫／2015年
山本義隆／『近代日本一五〇年―科学技術総力戦体制の破綻』／岩波新書／2018年
山家悠紀夫／『日本経済三〇年史―バブルからアベノミクスまで―』／岩波新書／2019年
湯浅俊彦／『出版流通合理化構想の検証―ISBN導入の歴史的意義―』／ポット出版／2005年
湯浅俊彦／『日本の出版流通における書誌情報・物流情報のデジタル化とその歴史的意義』／ポット出版／2007年
労働運動研究所編著／『コンピュータ合理化と労働運動』／三一書房／1980年
和田洋一／『私の昭和史―『世界文化』のころ』／小学館／1976年
和田洋一／『灰色のユーモア―私の昭和史』／人文書院／2018年
和田洋一／『新島襄』／日本基督教団出版局／1973年

●その他（タイトル五十音順）
『IFLA東京大会抗議行動の記録1986・8・25』／同実行委員会／1986年
『いま、図書館に何が問われているか？―現場からの反撃・集会』／同実行委員会／1985年
「科学研究計画第一次五か年計画について(勧告)」（日本学術会議1965年12月16日内閣総理大臣佐藤栄作宛

勧告　日本学術会議ＨＰ所収）／
『学術情報システムを考える会・会報』／同考える会
『学術情報システムに反対する!!』／学術情報システムを考える会／１９８３年
『学術情報システムを大学図書館の現場から考える』／学術情報システムを考える会／１９８５年
『学術情報システムを大学図書館の現場から考える：１９８５・７研究討論集会報告集』／１９８５年
『学校図書館50年史』／全国学校図書館協議会／２００４年
『季刊としょかん批評』／せきた書房
『巨大情報システムを考える会・会報』／同考える会
『近代日本図書館の歩み　本篇』／日本図書館協会／１９９３年
『講演・集会 国家秘密法と図書館』／図書館を考える会他／１９８７年
『コンピュータ世界の逆立―あるいは反ワープロの試み―』／図書館を考える会／１９８７年
『コンピュータ・大学・図書館―学術情報システムを考える集会(１９８３・４・30)報告集』／学術情報システムを考える集会実行委員会／１９８３年
『サンボ・ラバーにグッバイ!!』／図書館を考える会／１９９１年
『出版ニュース』／出版ニュース社
『出版年鑑』各年版／出版ニュース社
『昭和55年度全国図書館大会記録　鹿児島』／昭和55年度全国図書館大会実行委員会／１９８１年
『昭和56年度全国図書館大会記録　埼玉』／昭和56年度全国図書館大会実行委員会／１９８２年
『昭和57年度全国図書館大会記録　福井』／昭和57年度全国図書館大会実行委員会／１９８３年
『新文化』／新文化通信社
『ず・ぼん―図書館とメディアの本』／ポット出版
『セルパン』復刻版／アイアールディー企画、紀伊國屋書店／１９９８年
『戦後公共図書館の歩み―図書館白書１９８０』／日本図書館協会／１９８０年

『大学図書館協力ニュース』／国公私立大学図書館協力委員会大学図書館協力ニュース編集委員会
『大学図書館研究』／国公私立大学図書館協力委員会
『大学図書館の現在を考える』／学術情報システムを考える会／1983年
『大学図書館問題研究会会報』／大学図書館問題研究会
『大学図書館問題研究会第14回大会議案書』1983年8月27日（土）～29日（月）
『大学図書館問題研究会第14回大会議案書　討議資料「学術情報システム」について』
『大学の図書館』／大学図書館問題研究会
『誰のための図書館か？―現場からの反撃集会'85』／同実行委員会／1985年
『中国四国地区大学図書館協議会誌』第29号「昭和60年度の記録」／1989年
『中国四国地区大学図書館協議会誌』第32号「昭和63年度の記録」／1990年
『図書館雑誌』／日本図書館協会
『図書館事業基本法に反対する会ニュース』／同反対する会
『図書館年鑑』各年版／日本図書館協会
『図書館はいま―白書・日本の図書館1992』／日本図書館協会／1992年
『図書館はいま―白書・日本の図書館1997』／日本図書館協会／1997年
『図書館は〝国民管理〟の手先となるな！―1981．10・30集会報告』／図書館労働者交流会／1982年
『図書館白書1979』／日本図書館協会／1979年
『図書館問題研究会の四〇年』「別冊みんなの図書館」第3号／1995年
『図書館労働者交流会1983・11～1984・10』／同交流会／1984年
『図書館を考える会通信』／同考える会
『図書議員連盟会議要録(一)昭和53年5月12日　図書議員連盟発会式速記録』
『図書議員連盟会議要録(二)昭和54年3月22日　第一回図書議員連盟総会速記録』
『図書議員連盟会議要録(三)昭和55年11月5日　図書議員連盟総会速記録』
『図書議員連盟会議要録(四)昭和56年5月14日　図書議員連盟総会速記録』

『富山クライで〜いまどきの「不敬罪」を問う』／図書館を考える会他／1988年
『図労交ニュース』／図書館労働者交流会
『(内藤君の) 復職をかちとる会ニュース』／内藤君の復職をかちとる会
『日図協は日の丸のもとに?—日図協交渉の記録』／10・28共同行動実行委員会／1988年
『日本の図書館—統計と名簿—』各年版／日本図書館協会
『はじまりの中の反ワープロ』／図書館を考える会／1986年
『表現の管理を許さない—本の総背番号制を問う!』／10・28共同行動委員会／1987年
『「表現」は現在を規定するか—『原爆と差別』論争・資料と総括—』／図書館を考える会／1988年
『復刻土曜日』／三一書房／1974年
『本の中に、図書館の中に、日常の中に—いま、もうひとつの図書館を求めて—』／図書館を考える会他／1985年
『本は自由だ! いまこそ、「反対図書館」を!—現場からの反撃86集会予稿集』／同実行委員会／1986年
『みんなの図書館』／図書館問題研究会
『矢崎さんの裁判闘争を支援し不当解雇を撤回させる会会報』／同撤回させる会
『労働判例』533号(1989年4月1日)

東條文規（とうじょう　ふみのり）

一九四八年大阪府生まれ。一九七一年三月同志社大学商学部卒業。

一九七五年三月同志社大学大学院経済学研究科修士課程修了。

一九七五年四月より二〇〇九年三月まで四国学院大学図書館勤務。

この間、日本図書館協会評議員、日本図書館研究会評議員、
私立大学図書館協会協会賞審査委員歴任。『ず・ぼん』元編集委員。

現香川県図書館学会会長。

著書に
『図書館の近代―私論・図書館はこうして大きくなった』（ポット出版、一九九九年）、

『図書館の政治学』、（青弓社、二〇〇六年）、

『図書館という軌跡』（ポット出版、二〇〇九年）。

共著に
『日本の植民地図書館―アジアにおける日本近代図書館史』（社会評論社、二〇〇五年）等。

書名……図書館にドン・キホーテがいた頃
1980 ～ 90 年代の図書館少数者運動
著者……東條文規
ブックデザイン……沢辺均
編集協力……松村小悠夏
発行……2021 年 2 月 15 日［第一版第一刷］
希望小売価格……2,000 円＋税
発行所……ポット出版プラス
150-0001 東京都渋谷区神宮前 2-33-18 #303
電話 03-3478-1774 ファックス 03-3402-5558 ウェブサイト http://www.pot.co.jp
電子メールアドレス books@pot.co.jp
印刷・製本……シナノ印刷株式会社

ISBN 978-4-86642-014-1 C0000

When Don Quijote was in the library
Library minority movement in the 1980s to 90s
by TOJO Fuminori
First published in Tokyo Japan, 2. 2021 by Pot Publishing Plus

#303 2-33-18 Jingumae Shibuya-ku Tokyo,150-0001 JAPAN
E-Mail: books@pot.co.jp http://www.pot.co.jp
ISBN 978-4-86642-014-1 C0000

●カバー絵
作家名 :PABLO PICASSO
作品名 :"Don Quichotte"1955

本文●ラフクリーム琥珀・四六判・71.5kg（0.13μm）／スミ
表紙●ファーストヴィンテージ・オーク・四六判・Y・69kg／スリーエイトブラック
カバー●アラベールFS・オータムリーブ・四六判・Y・90kg／スリーエイトブラック／マットPP
見返し●ファーストヴィンテージ・スカーレット・四六判・Y・69kg
組版アプリケーション●InDesign CC 2018
使用書体●筑紫明朝・筑紫ゴシック・筑紫Aオールド明朝・Adobe Caslon
2021-0101-1.0